Rocet Arwel Jones

Jambo Caribŵ

TAITH I BORTH UFFERN

y Lolfa

Argraffiad cyntaf: 2004

Ffotograffau: Rocet Arwel Jones
Mapiau: Dafydd Saer
Clawr: Robat Gruffudd

ISBN: 0 86243 757 1

Cyhoeddwyd ac argraffwyd yng Ngymru gan:
Y Lolfa Cyf., Talybont, Ceredigion SY24 5AP
e-bost ylolfa@ylolfa.com
gwefan www.ylolfa.com
ffôn +44 (0)1970 832 304
ffacs 832 782
isdn 832 813

Rhagymbethma

Mae rhai pobl yn mwynhau diflasu pobl eraill efo hanesion eu gwyliau. Mae rhai yn mwynhau dangos eu lluniau dros botel o win a rhai eraill yn mwynhau dangos sleidiau. Mae yna rai ohonon ni, sy'n gaeth i gadw dyddiaduron, yn mwynhau sgwennu eu hanesion. Yn rhyfeddach fyth mae rhai ohonoch chi yn mwynhau eu darllen nhw.

Nid *athlete* mohonof fel y gŵyr unrhyw un sydd yn fy nabod neu sydd hyd yn oed wedi cael cip arna'i o hirbell. Fodd bynnag, ar funud wan ym mis Gorffennaf 2003, ar ôl treulio wythnos yn Nhŷ Newydd, a phan oedd unrhyw beth yn bosib, dyma gofrestru i fynd ar daith gerdded noddedig yn Kenya.

"Dwi ddim yn talu i ti fynd ar dy wyliau!" medda rhai. Oedd, roedd hi'n daith i wlad fendigedig a chan eithrio'r ychydig gannoedd o dâl cofrestru doeddwn i ddim yn talu dim rhagor am gael mynd. Mi roedd hi'n daith galed, galed iawn ar adegau, yn uchel, yn boeth ac yn bell, ond yr ymarfer ar lwybrau oer a gwlyb cefn gwlad gaeafol Ceredigion saith gwaith gwaeth. Dwi'n gobeithio bod hynny wedi cyfiawnhau'r nawdd a lifodd i mewn – roedd gofyn i mi godi lleiafswm o £2,500 cyn y cawn i fynd. Roedd y cyhuddiad yn dal i fy mlino serch hynny. Ond fel y dywedodd un o drefnwyr y daith wrtha i, "Wyt ti'n meddwl fod pob ceiniog ti'n gwario mewn siop ar y stryd fawr yn mynd i goffrau'r elusen? Rybish. Mae yna gostau gweinyddu i'w talu yn fan'no run fath yn union. Ac os ydan ni'n hapus efo'r elw dan ni'n neud o'r daith mi ddylai dy noddwyr di fod yn hapus hefyd." Roedd hynny'n tawelu fy nghydwybod i ond roedd y cyhuddiad yn dal i bigo...

Mae 'Mind' yn gweithio gyda miloedd o bobl bob blwyddyn, nid gyda phobl sy'n cael eu geni â nam meddyliol ond pobl fel chi a fi all gael ein taro â salwch meddwl fory nesa, yr un mor rhwydd a chael ein taro gan annwyd. Mae un o bob pedwar ohonoch chi sy'n darllen y llyfr hwn yn mynd i ddioddef o ryw salwch meddwl yn ystod eich oes. Mae 21,000,000 o brescriptiwns am dawelyddion yn cael eu rhoi'n flynyddol. Gweithreda'r elusen drwy rwydweithiau ar lawr gwlad a thrwy wasanaeth ffôn cyfrinachol, gwasanaeth sydd â galw mawr amdano ac sy'n cael ei gyfyngu'n aruthrol oherwydd diffyg adnoddau. Maen nhw wedi sefydlu gwasanaeth cynghori arbennig yng nghefn gwlad yn dilyn y gyfres o argyfyngau sydd wedi wynebu'r gymuned amaethyddol dros y blynyddoedd diwethaf hyn. Mae Mind hefyd yn cefnogi pobl sydd wedi dioddef mewn ffyrdd ymarferol wrth iddyn *nhw* gamu yn ôl i mewn i gymdeithas ac wrth iddyn *nhw* chwilio am waith. Y *nhw* allai'n hawdd iawn fod yn *ni*.

Fe gododd y criw aeth i Kenya oddeutu £90,000 at Mind, ac fel y gwelwch chi o'r hysbyseb ar y dudalen nesa, dwi'n mynd eto!

Roedd teithio efo deg ar hugain o ddieithriaid yn brofiad diddorol, os nad anodd ar brydiau, ond mae'n siŵr nad oedd teithio efo fi yn nefoedd chwaith. Dyw'r cymeriadau unigol sydd yn y dyddiadur ddim yn rhai go iawn, ond dwi'n gobeithio bod y cyfan efo'i gilydd yn cyfleu'r lobsgows o gymeriadau a theimladau oedd yn gwneud y daith yr hyn oedd hi. Do, nes i aros ychydig yn hirach na phawb arall a do fe ges i wyliau penigamp ond fe ges i helyntion a thrafferthion fel y byddech chi'n disgwyl. Na i ddim mo'ch diflasu chi gyda'r straeon rŵan, mae gen i weddill y llyfr i wneud hynny!

Y Cam Nesa...

Yn ystod mis Mai a Mehefin 2005 fe fydd yr awdur yn ymgymryd â thaith gerdded arall er budd yr elusen iechyd meddwl Mind, y tro hwn yn Peru. Unwaith eto mae'n rhaid iddo godi o leiaf £2,500 o nawdd. Bydd cyfran o elw gwerthiant y gyfrol hon yn mynd tuag at yr elusen.

Os ydych am ei wahodd i siarad gyda chymdeithas leol neu am wneud cyfraniad at yr elusen, gallwch wneud hynny trwy yrru ato:

d/o Llyfrgell Genedlaethol Cymru
Aberystwyth
SY23 2EX

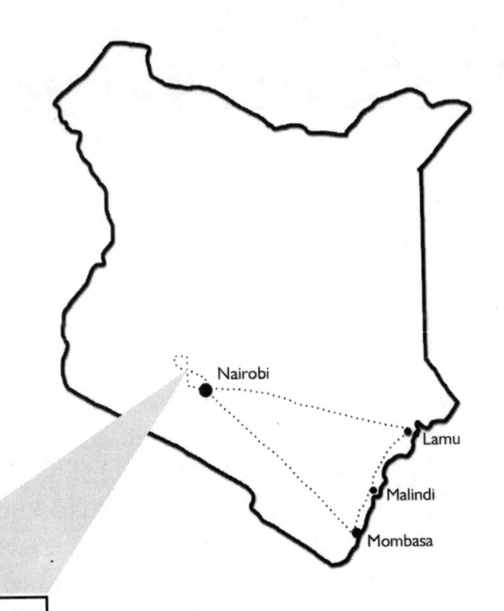

Taith Gerdded

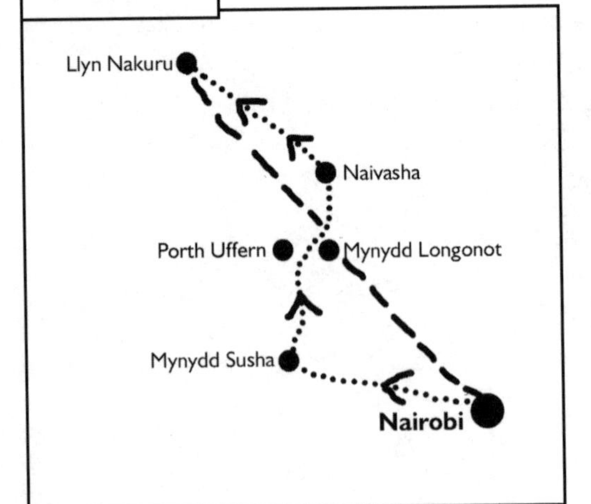

Y twll mwya yn y byd

Asiyefunzwa na mamaye, hufunzwa na ulimengu
Bydd yr un na fydd yn cael ei ddysgu gan ei fam yn cael ei ddysgu gan y byd

"Fysat ti'n lecio *wet-wipe*?"

Cwlffyn mawr cyhyrog efo torch o fwstas a llais braidd yn ferchetaidd. Mae'n rhaid 'mod i wedi bod yn rhy hir yn ateb...

"Fysat ti'n lecio *wet-wipe*? Mae gen i bob math o rai. Oil of Ulay, Dettol, *insect-repelant*..."

"Oes gen ti un cyffredin i mi gael sychu 'nwylo a'n wyneb?"

"Oes. Oes, tad. Pa fath o un cyffredin fysat ti'n lecio? Un ogla mefus, mafon, lemwn...?"

"Beth am un cyffredin, cyffredin?"

"Does gen i ddim un felly..."

"Gymera i'r un lemwn ta… diolch. Gyda llaw, Arwel ydw i."

"William Cymer Ddau."

"Mae'n ddrwg gen i?"

"William ydy'r enw, a chymer ddau *wet-wipe*. Jyst rhag ofn…"

Mae hi tua canol dydd ar ddiwrnod crasboeth o Chwefror a dwi'n eistedd ar fws yn teithio o Nairobi, prifddinas Kenya, i'r gogledd orllewin i gyfeiriad Mynydd Susua. O 'mlaen i mae anferthedd y paith yn estyn am ddegau o filltiroedd. Dyma'r twll mwya yn y byd – ac mae o'n rhyfedd o debyg i Sir Gaernarfon. Dyffryn yr Hollt Fawr. Y twll mwya ar wyneb y ddaear. Hollt sy'n estyn bedair mil dau gant o filltiroedd i lawr dwyrain Affrica, o Syria i Mosambic. Dyffryn sydd chwe deg milltir ar draws ac sy'n cynnwys y Môr Marw, sef y man isa ar wyneb y ddaear. Ehangder sy'n cael ei warchod gan glogwyni hyd at ddwy fil chwe chant o droedfeddi o uchder.

Wrth grwydro'r gwastadedd mae fy llygaid fel petaen nhw'n taro'n ddisymwth ar esgid cawr. Dydyn nhw ddim yn cael eu harwain yn raddol i fyny unrhyw lethrau hamddenol ond yn hytrach yn taro'r clogwyn yn ddisymwth wrth i hwnnw godi'n syth o'r gwastadedd. Llosgfynydd sy'n gwgu wrth geisio gweld be sy'n cosi ei droed o, saith mil saith gant o droedfeddi islaw. Yn union fel mae'r Wyddfa a'i Chlic yn ymsythu uwchlaw gwastadedd Môn pan fydd rhywun yn aros am eiliad i edmygu Ei Mawrhydi o gyfeiriad melin Llannerch-y-medd ar awr glir pan fo'r glaw yn agos.

Ar y bws efo mi mae naw ar hugain o ddieithriaid, ac maen nhw, fel minnau, yn mynd i gerdded Susua – a dim ond dechrau'r daith fydd hynny. Mae'n rhyfedd meddwl bod pob un ohonon ni, ychydig oriau ynghynt, yn eistedd yn oerfel a mwrllwch Cymru a Lloegr. Pawb yn gwneud y pethau bob dydd, yn bwyta brecwast, mynd â'r ci am dro, gosod silff na allai aros nes bod rhywun yn dod yn ôl, tacluso am y tro ola am y trydydd tro. Pob un yn wahanol, mewn lle gwahanol, yn gwneud rhywbeth gwahanol, yn meddwl am yn union yr un peth, yn darllen yr un darn o bapur, yn cadarnhau yn union yr un trefniadau. Giatiau 1-5 British Airways yn Nherfynnell 1, Maes Awyr Heathrow. Ac o'r eiliad honno ymlaen fe fyddai hanes pob un ohonon ni yn un hanes am ddeg diwrnod.

A dyma ni ar un bws. I fod yn fanwl gywir, dydan ni ddim yn ddeg ar hugain o unigolion – mae yna un neu ddau o ffrindiau ac un criw o bump neu chwech o Lundeinwyr swnllyd, digytsain sy'n gweithio i'r un cwmni gwneud clytiau – Huggies neu Pampers neu ryw gwmni tebyg. Eu clychau nhw sy'n canu fwya croyw wrth i'r bws ein hysgwyd o ochr i ochr. Mae ychydig dros yr hanner yn ferched, yr ieuenga o'r criw yn ei hugeiniau cynnar a'r hyna dros drigain. Yn dawel, yn swnllyd, yn gysglyd ac effro, yn hyderus, yn ofnus, yn teithio ar yr un bws i'r un cyfeiriad, a doed a ddelo fe fyddwn yn gyfeillion, yn gydnabod, yn elynion neu'n gariadon am y deg diwrnod nesa a thu hwnt os mai dyna lle bydd y map yn ein harwain ni.

Wrth fy ochr mae William wrthi'n gosod y gwahanol bacedi *wet-wipes* yn ôl yn ofalus yn ei sach – mae o i'w weld yn greadur digon clên ond ei fod o, rhwng ei faint a'i drafferth, yn mynnu dwy ran o dair o'r sedd gyfyng. Dyblir ei drafferthion gan y ffaith ei fod o'n syllu allan trwy'r ffenest yn hytrach na chanolbwyntio ar ei waith.

"Edrych!"

Mae'n rhaid bod ganddo fo lygaid fel eryr, ond wrth estyn ei law i ddangos rhywbeth i mi mae pen ei fys nobl o'n gorchuddio Susua gyfan.

"Edrych... *y lesser spotted volcano goose.*"

I mi, roedd popeth yn *lesser spotted* oherwydd welwn i ddim byd.

"Edrych... *gazelle*... impala... sebra..."

Welwn i ddim byd ond milltiroedd a milltiroedd o ddiffeithwch crin. Dwi'n siŵr ei fod o'n meddwl 'mod i'n ddall a phetai o'n dangos eliffant i mi na fyddwn i'n ei weld o. Beth bynnag, ro'n i'n rhy brysur yn canolbwyntio ar beidio â disgyn oddi ar fy sedd wrth i'r bws sgrytian dros fryniau a phantiau priffyrdd Kenya i gynnal sgwrs ddeallus am nodweddion bywyd gwyllt y wlad.

Wedyn, fe drodd y bws oddi ar y briffordd i ddilyn llwybr dros yr anialwch. I fod yn deg â'r gyrrwr, roedd o'n gwneud yn dda i gadw at y llwybr mwya esmwyth achos fe welwn i lwybrau ddoe ac echdoe yn rhychau dyfnion o boptu'r bws, fel petai nant feddw wedi torri ffosydd igam ogam yn y pridd coch wrth faglu dros ymyl y dibyn a rowlio hyd y gwastadedd. Yna fe wawriodd arna i mai dyna'n union oedd wedi digwydd. Ein bod ni'n dilyn gwely'r afon – gwely achlysurol y tymor gwlyb a'r cawodydd trymion. Llwybr y byddai'r afon yn ei ddilyn eto petai'r glawogydd yn dod cyn ei bod hi'n amser i ni adael.

Ymddiheurodd Henry, arweinydd y daith, am gyflwr y bws oedrannus, gan awgrymu ar yr un pryd y dylen ni ella fod yn ddiolchgar gan fod y criw diwetha, a ddaeth ar y bws newydd, crand ac isel, wedi mynd yn sownd ac wedi gorfod cerdded milltiroedd yn y llwch a'r gwres, yn cario'u holl fagiau – a hynny cyn cychwyn ar eu taith gerdded swyddogol.

Un o'r bobl chwe troedfedd chwe modfedd a hanner hynny sydd wedi eu gwasgu i gorff pum troedfedd ydy Henry. Pwtyn sgwâr, a hyder yn dynn ym mhob gewyn o'i gorff ac yn uchel ymhob gair a ddaw o'i geg o. Mae hyder yn gynhenid yng ngenynnau ac acen boi fel Henry sy'n casglu ei fywoliaeth drwy drefnu saffari yn Affrica, dringo yn Asia, gosod llety yn Llundain neu adeiladu tai yn Ewrop. Nid nad ydy o'n gweithio'n galed ond bod ffawd, menter a magwraeth wedi rhoi'r cyfle iddo weithio mewn llefydd eithriadol o ddiddorol ac anturus. Mwy o Indiana Jones na Chrocodeil Dundee. Saif â'i draed ar led a'i ddwylo ar ei luniau, ei het cowboi yn ôl ar gefn ei ben yn mygu ei wallt cyrliog, a'i lygaid tywyll yn pefrio tu ôl i sbectol gron. Gobeithio bod ganddo fo gymaint o hyder yn y trefniadau ag sydd ganddo fo ynddo fo ei hun.

Derbyn ei air ynglŷn â'r bws a bod yn ddiolchgar ein bod yn dal i symud a bod y gyrrwr yn dal i ymddangos fel petai o'n gwybod i lle mae o'n mynd. I'r dde wrth y ddraenen, i'r chwith wrth y graig, i lawr trwy'r pant gan godi llaw ar hwn a'r llall wrth fynd heibio. Bugeiliaid y Masaai, a stremp o oren, porffor neu goch llachar fel papur lapio lliwgar am yr anrhegion eboni tywylla. Llathenni tal a thenau o fugeiliaid tywyll, tywyll a'r haen deneua o chwys yn peri iddyn nhw sgleinio'r mymryn lleia heb ddal dim o'r llwch sy'n gymylau o'u cwmpas. Pob un yn pwyso ar ffon dalach na nhw eu hunain hyd yn oed ac yn gwarchod praidd o ddefaid neu eifr.

Gyrru ymlaen a'r bugeiliaid yn llawer mwy o ryfeddod i ni nac oeddan ni iddyn nhw. Ymlaen ac ymlaen drwy'r llwch – i'r chwith wrth y graig ac i'r dde wrth y ddraenen – a chyrraedd y camp.

Cerdded yn y dydd a byw a chysgu allan mewn pabell i ddau efo un noson mewn gwesty cyfforddus ar ddiwedd y daith – dyna'r trefniadau roedd pob un ohonon ni wedi eu derbyn cyn dod. Ond gallai gwersylla allan ar y paith mewn pabell i ddau a byw mewn camp am ddeg diwrnod olygu unrhyw beth. A fyddai yna doiledau? Pe byddai, sut bethau fydden nhw? Sut beth fyddai'r bwyd? Efo pwy fyddwn i'n rhannu? Doedd y cwestiynau ddim yn annhebyg i'r rhai fyddai rhywun yn eu gofyn ar drothwy sawl gwyliau arall ond bod yr amgylchiadau ychydig yn fwy eithafol.

Y newyddion da cynta ges i oedd 'mod i wedi cael pabell i mi fy hun. Roedd y pebyll eisoes wedi eu gosod yn ddwy res unffurf o las ac oren taclus o flaen pagoda bychan – rhyw ddau neu dri o unedau steddfod heb ochrau – a oedd wedi ei osod ryw ychydig gannoedd o lathenni oddi wrth dau neu dri o gytiau pren, sef, mae'n debyg, yr ysgol leol. Y tu ôl i'r pebyll, roedd rhes o flychau o'r un maint â siâp ciosg ffôn wedi eu gosod yn rhes. Rheiny, mae'n debyg, oedd y toiledau a'r hyn oedd yn cael eu disgrifio fel cawodydd – fe ddeuai cyfle, neu reidrwydd, i archwilio rheiny yn nes ymlaen. Codwyd y camp gan y criw fyddai'n ein harwain ni, yn ein bwydo ni ac yn symud ein cartrefi ni am yr wythnos oedd i ddod. Roedd hyn yn well na'r ofnau gwaetha o leia.

Ymgynnull o gwmpas bwrdd hir, cul a oedd wedi ei osod ar hyd y pagoda gyda digon o le i'r deg ar hugain ohonon ni eistedd wrtho fo. Cael gwybod mai yma y bydden ni'n cael ein prydau bwyd ac mai yma bydden ni'n ymgynnull cyn cychwyn cerdded neu wrth ddychwelyd. Cael paned o goffi a ffrwythau i'w bwyta cyn ei throi hi am ein pebyll am ryw ychydig.

Tra oeddwn i'n methu'n lân â deall sut roedd lle i ddau yn y pebyll yma ac wrthi'n chwalu fy llanast hyd y llawr ac allan, roedd pawb arall yn dod i adnabod eu ffrind gorau diweddara, y person roeddan nhw'n rhannu pabell efo nhw am yr wythnos, yn gwasgu i mewn i le cyfyng ac yn dod i adnabod ei gilydd. Fy nghymdogion yn y pebyll o boptu oedd Kylie a Connor – gŵr a gwraig oedd yn perthyn i giwed Llundain – a Shirley a Shivaun – hanner cant a rhywbeth, yn gyfforddus eu byd, ac yn barod i'w ryffio hi am chydig ddyddiau. Roedd Shirley eisoes wedi ffraeo efo'r trefnwyr am ei bod hi wedi gorfod cael pigiad clwy melyn nad oedd mo'i angen yn ei barn arbenigol hi, ac ro'n i'n ei chlywed hi eisoes yn mygu Shivaun druan efo'i sŵn. Ar y llaw arall, roedd Kylie a Connor eisoes wedi bedyddio eu pabell yn Faulty Tentpoles, yn trafod y drewdod fyddai yn y babell cyn diwedd yr wythnos ac yn paldaruo am wahanol bethau.

"Ia, *mate*, ia, *mate*... fydd rhaid i ni wneud hynny. Ia, *mate*... Faw'ty Ten'po'es..."

"Hi hi hi."

"Faw'ty Ten'po'es... *billian'*... Hei, Wiwiym, Shiwley... Faw'ty Ten'po'es... blydi *billian'*, *mate*... Ti ta fi oedd hwnna...? Blydi hel... ti'n drewi, *mate*... Ga i ti'n ôl..."

"Hi hi hi."

"Faw'ty Ten'po'es... Hei, Shivaun... Ti 'di clywed enw tent ni...? Faw'ty Ten'po'es... blydi *billian'*..."

Sgerbwd tal gwelw canol oed â rhyw lwydni o gwmpas ei ên oedd Connor. Doedd ei wallt, ddim mwy na'i locsyn, yn edrych fel petai o'n mynd i lawer o drafferth i dyfu. Gallwn i ei ddychmygu o'n modelu dillad yn ffenest siop Oxfam – dydy'r dillad byth i'w gweld yn ffitio'r doliau yn fan'no fel maen nhw yn Next. Ond pa bynnag ddiffyg oedd yn ei olwg o, roedd ei geg o'n gwneud i fyny am y peth. Twmpan gron seimllyd yn diodde o effeithiau disgyrchiant a fymryn yn hŷn yr olwg na Connor oedd Kylie. Tybed o ble roedd hi wedi cael yr enw Kylie? Roedd hi'n rhy hen i fod wedi cael ei bedyddio ar ôl y Finogue. Ond roedd hi'n amlwg yn gwirioni ar bob gair oedd yn disgyn oddi ar dafod ei gŵr.

"Blydi *billian'*... Dewch, bois, nawn ni ddysgu rhain sut i chwara *footy*..."

"Hi hi hi."

Roedd rhywun wedi dod â phêl. Trefnodd Connor dîm Lloegr. Tynnodd y Masaai griw o hogiau o'r ysgol gyfagos atyn nhw ac roedd gan Kenya dîm. Cotiau a stolion yn byst i'r gôl a chyn pen dim roedd gêm frwd o bêl droed yn digwydd. Gêm hen ffasiwn ddi-drefn, ddi-reff, ddiffiniau, gydag un tîm yn droednoeth a'r llall yn anghyfarwydd â'r gwynt a'r gwres a'r llwch. Dau griw o ddieithriaid llwyr yn pasio'r bêl o'r naill aelod o'u tîm eu hunain i'r llall i ddechrau. Wedyn, wrth i'r tîm arall fwrw eu swildod, yn cael eu taclo, ac yn sydyn roedd ugain o hogiau o ddau gyfandir a dau fydysawd gwahanol yn siarad yr un iaith. Aeth hyn ymlaen am awr a rhagor a phob gôl yn un oedd yn ennill y gêm ac yn cael ei hamau'n ddirfawr gan y gwrthwynebwyr. A'r sgôr terfynol? Buddugoliaeth i'r ddau dîm a phawb yn ffrindiau.

Wrth gwrs, dwi ddim yn bêl droediwr. Fi ydy'r boi oedd, hyd yn ddiweddar, yn chwysu wrth wylio'r snwcer ar y teledu ac a oedd yn bodloni ar ddarllen trwy'r dydd er bod dal y llyfr yn waith caled braidd. Bwyd oedd y greadigaeth orau ar wyneb daear – cig, caws, bara, tatw – ac mae'n rhaid bwyta, mae pawb wedi dweud hynny erioed. Ymarfer corff oedd cerdded i'r dafarn a chodi rhyw bwys a hanner neu lai oddi ar y bwrdd at fy ngheg nifer amhenodol o weithiau.

Fe newidiodd hynny. Fe ddaeth y gampfa'n ail gartra i mi ac fe ddeuthum i adnabod yr hyfforddwyr wrth eu henwau cynta, a hwythau finna. Des i sylweddoli ei bod

hi'n cymryd llai o amser i gerdded yn Aberystwyth na ffeindio lle i barcio – tybed ai dyna oedd pwrpas yr holl rwystrau parcio hynny? Fe fûm i'n ymarfer ar gyfer y daith yma. Fe nes i gerdded. Nes i gerdded milltiroedd lawer ym mhob math o dywydd. Dwi wedi diodda mân anafiadau – pothelli ar 'y nhraed a phengliniau'n cloi. Daeth yn haws. Ddaeth o ddim yn llai *boring*. A dweud y gwir, wrth gerdded mwy a mwy – cerdded er mwyn cerdded ac nid er mwyn pleser – fe ddaeth yn fwy ac yn fwy *boring*. Ond tybed a fues i'n ddigon bôrd i ddod yn ddigon ffit ar gyfer y daith yma? Wel, mi gawn i weld cyn bo hir.

Ymgynnull ar gŵr y gwersyll. Rhaid cyfadda 'mod i ar bigau'r drain. Ddim bod yna asgwrn cystadleuol yn 'y nghorff i, ond does gen i ddim syniad ydw i'n agos at fod yn ddigon ffit i gwblhau'r daith ai peidio ac yn sicr does gen i ddim syniad pa mor ffit ydy'r bobl o 'nghwmpas i. Mae'r daith yn mynd i olygu cerdded rhyw ddeng milltir y dydd – sydd ddim yn ddrwg o gwbl, ond bod llawer o hynny i fyny ac i lawr mynyddoedd sydd ar gyfartaledd dros naw mil o droedfeddi ac mewn gwres sydd y tu hwnt i ddim dwi wedi ei brofi o'r blaen.

Cychwyn allan a mentro i'r blaen efo hanner dwsin o bobl eraill. O'n blaenau roedd Tukai, a fyddai'n ein harwain ni am y dyddiau nesa. Hogyn ifanc tal, tenau, tywyll fel y fagddu oedd Tukai wedi ei wisgo mewn gwisg draddodiadol a gwên wen ddireidus. Cerddai rai llathenni o'n blaenau, yn amlwg yr un mor ansicr ohonon ni ag oeddan ni o'n gilydd.

Mae cerdded yn ffordd reit dda o ddechrau sgwrsio efo pobl. Mae un yn dweud rhywbeth, mae rhywun arall yn ymuno tra bod y cynta'n arafu, yn aros i dynnu llun, cau ei gareiau, cyn taro ar rywun arall a dechrau eto. O'r herwydd dydy'r sgwrs byth yn cael ei thynnu'n denau dynn dros fwy o amser nag sydd rhaid. Helo. S'mai? Be ydy dy enw di? O ble ti'n dod? Be ti'n neud? Wedyn, os nad ydy pethau'n symud ymlaen o fan'no aros, arafu neu gyflymu, cerdded ar eich pen eich hun am sbel a dechrau sgwrs arall pan ddaw'r cyfle.

Siarad efo William eto gan fod hynny'n haws na dechrau sgwrs efo rhywun cwbl ddiarth. Ro'n i wedi cymryd ei fod o'n gweithio i'r cwmni clytiau babis ac felly'n cael bargen ar y *wet-wipes*, ond dysgu mewn ysgol uwchradd yn Lerpwl mae o, er ei fod o'n dod o Lundain yn wreiddiol. Roedd ei fwstas fel llen dros ei geg, a bron nad oedd o'n rhyw blygu mymryn wrth gerdded er mwyn ymostwng i 'nhaldra i. Roeddan ni wrthi'n trafod yr olygfa, y paith pigog o dan draed, yr ehangder anghredadwy o dirwedd unffurf a oedd o'n blaenau ni a'r ceunant dwfn, crin oeddan ni'n ei ddilyn, pan ddiflannodd William. Un munud roedd o yno, fodfeddi'n dalach na mi, a'r munud nesa roedd o wedi diflannu. Roeddwn i wedi cymryd cam neu ddau ymlaen cyn i mi sylweddoli nad oedd o yno a chyn i mi ei glywed o'n gweiddi.

"Ahh-wyl! Sgiws mi… Ahh-wyl. Elli di fy helpu fi?"

Troi ar fy sawdl a sylweddoli bod coesau William wedi diflannu – dim ond rhan ucha ei gorff oedd ar ôl. Trodd o fod yn gawr i fod yn gorrach mewn eiliad. Edrych yn fwy gofalus a sylweddoli ei fod o wedi disgyn, ac un goes, hyd at ei afl, mewn rhyw fath o dwll cwningen a'r llall yn gwneud y sblits, fel petai o wedi ei gadael hi ar ôl, y tu ôl iddo fo. Mae'n rhaid bod hon yn goblyn o gwningen i fod wedi twrio twll yn union at i lawr ac yn ddigon mawr i un o'r coesau hynny ddiflannu'n gyfan gwbl i mewn iddo. Gobeithio nad oedd hi ddim yn dal adra.

"O, diolch. Diolch. Sori. Sori. O, dyna welliant. Diolch. Sori."

Mae'n rhyfedd fel mae rhywun yn edrych yn hollol wahanol wrth fod dair troedfedd yn fyrrach. Hyd yn oed ar ôl i ni ei godi o allan o'r twll a'i adael o ar ei din ar lawr roedd o'n ddianaf ond wedi dychryn ac yn edrych yn reit pathetig.

"Leciet ti i mi estyn *wet-wipe* i ti?" meddwn i, gan ei fod o'n amlwg yn cael cysur o'u defnyddio nhw.

Atebodd o ddim.

Cododd ar ei draed a cherdded ymlaen yn reit dawel.

Hanner milltir o'r daith gerdded roeddan ni wedi ei chwblhau ac roeddan ni eisoes wedi cael damwain. Yn ôl Tukai, sglaffiwr morgrug oedd yn gyfrifol am y twll ac fe fydden nhw ym mhobman ar y daith. Roedd William yn lwcus nad oedd yna neidar wedi gwneud ei chartre yn y gwaelod.

Ar y cyfan, roeddwn i'n gweld y daith braidd yn ara, braidd yn hamddenol. Crwydro wysg ein trwynau am ryw ychydig funudau, aros, edrych o'n cwmpas, disgwyl i'r gynffon gyrraedd a chychwyn eto. Os mai fel hyn y byddai gweddill y teithiau yna byddai'r holl ymarfer wedi bod yn wastraff amser ac egni, ac fe fyddai hi'n wythnos hir iawn. Penderfynu y gallai cawod aros tan fory ac ymuno efo pawb arall am swper. Pe bawn i wedi dyfalu am fis, fyddwn i ddim wedi breuddwydio cynnig mai *fish & chips* fydden ni wedi'i gael i swper, yma, ynghanol anialdir gwag a chyntefig dwyrain Affrica. Ond dyna a gafwyd, a hwnnw'n fwyd eithriadol o flasus wedi ei baratoi yng nghegin gwersyll y criw, yr ochr draw i'r pagoda. Tybed oedd hyn yn ymdrech i wneud i ni deimlo'n gartrefol? Dod â darn bychan o Loegr i'r Cyfandir Tywyll? Un peth oedd yn sicr, doedd y ffrwythau i ddilyn ddim yn ddarn bach o Loegr nac unrhyw ran arall o Brydain – roedd blas Affrica yn diferu ohonyn nhw, y ffrwythau gorau i mi eu blasu erioed. Rhyfeddol – ond bod y gwynt yn taflu llwch yn bupur mân dros bopeth.

Yng nghanol y rhyfeddodau hyn roedd yna un arall. Roeddan nhw'n darparu bar – oedd nid yn unig yn gwerthu cwrw Tusker traddodiadol ond yn cynnig gwin coch a gwin gwyn hefyd. Tro hamddenol yn yr haul, gêm o bêl droed, *fish & chips*, ffrwythau, gwin a chwrw, pabell i mi fy hun, tai bach a chawodydd... dwi ddim yn meddwl bod hyn yn mynd i fod cyn galeted ag roeddwn i'n feddwl na chyn galeted ag yr oedd fy holl noddwyr i wedi ei ddychmygu. Mi fydd rhaid dweud celwydd wrthyn nhw adre – ei bod hi'n llawer caletach nag ydy hi.

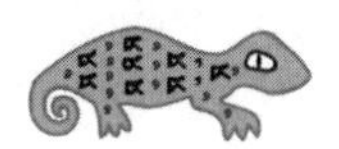

Ar ôl bwyd, cafwyd cyhoeddiadau gan Henry, â Connor yn porthi yn y cefndir.

[*"Ia, mate... Faw'ty Ten'po'es... Glywais ti 'na...? Ti'n coelio 'na...? Faw'ty Ten'po'es... billiyn'..."*]

Diolchodd Henry i ni am ein cefnogaeth i Mind. Mae'n debyg ein bod ni eisoes wedi codi tua chwe deg mil rhyngon ni ac yn debyg o godi tua naw deg mil. Atgoffodd ni pam ein bod ni yno...

[*"Ia, mate... Faw'ty Ten'po'es... billiyn'... Tusker... John... un Tusker arall... un arall, John... billiyn', mate!"*]

…ac am y gwaith mae Mind yn ei wneud gan adrodd stori am un neu ddau oedd wedi manteisio ar wasanaethau'r elusen. Siaradai efo'r dihidrwydd hwnnw sy'n nodweddiadol o rywun a fu'n gwneud y gwaith yn rhy aml.

[*"Wheeeeiii…. billiyn'… da iawn Henry… billiyn… yeeehh… Mind… yeeeahh… Mind…"*]

Rhybuddiodd ni am bwysigrwydd yfed digon…

[*"Wheeeeiii…. billiyn'… un Tusker… jyst un Tusker arall…"*]

… o ddŵr, am bwysigrwydd golchi dwylo a diheintio poteli ac am fod yn ofalus yn gyffredinol ond bod meddyg efo ni ar y daith ar ein cyfer…

[*"Wheeeeiii…. billiyn'… doctors a nysrus… hi hi hi…"*]

Erbyn hyn, roedd Henry ddi-hid, hyderus, yn agos iawn at ben ei dennyn…

[*"Hen-wii… Hen-wii… Hen-wii… Hen-wii…"*]

Rhybuddiodd ni i beidio â manteisio'n ormodol ar y bar, bod angen codi'n gynnar, bod y gwres yn llethol a bod peryg chwysu a cholli gormod o ddŵr o'r corff…

[*"Wheeeeiii…. billiyn'… un Tusker… jyst un Tusker arall…"*]

Amlinellodd lle y bydden ni'n mynd fory a beth fyddai'r drefn o ran bwyd a champio…

[*"Hen-wii… Hen-wii…alla'i fynd i ngwely… Hen-wii…"*]

"Na chei… ista i lawr a chau dy geg!"

Er nad oedd o wedi gwylltio, roedd ei wên o'n wên wneud ac roedd pob modfedd o'i bum troedfedd o'n bwrw cysgod dros sgerbwd llychlyd Connor. Rhyw Steptoe deugain oed wyneb yn wyneb â *mighty-mouse*. Ar ôl yr un gorchymyn yna ac ar ôl i Henry ailgydio yn ei gyfarwyddiadau nes i sylweddoli bod yna dyndra wedi bod yn cronni yn y rhan fwya o'r criw o gwmpas y bwrdd. Ond, yn union fel na fydd rhywun byth yn sylwi ar swnian cyson oergell nes i rywun ei diffodd hi, do'n i ddim wedi sylwi ar y tyndra nes i Connor gau ei geg ac i bawb ollwng rhyw ochenaid ar y cyd. Ro'n i'n teimlo'n well o sylweddoli ei fod o'n mynd ar nerfau rhywun arall heblaw fi.

Mynd am dro bach o gwmpas y tywyllwch cyn troi am 'y ngwely. Syllu ar yr ehangder o ddieithrwch tywyll oedd o 'nghwmpas i a sylwi ar y graith wen o oleuadau oedd yn torri drwy gnawd du'r nos. Gwrando ar rywun arall yn siarad heb fod ymhell i ffwrdd ac yn gwaredu bod y goleuadau'n difetha'r tirlun ac yn chwalu gwyryfdod y lle. Cytuno. Ac ailfeddwl. Pwy ydan ni i warafun i bobl eraill ryfeddod trydan a'r holl foethusrwydd a ddaw yn ei sgil? A ddylid gwarafun trydan i'r Masaai er mwyn i ni gael dod yma i fwynhau rhyw burdeb cyntefig? Yr unig ffordd o warchod unrhyw wyryfdod ydy gadael iddo fo fod, a'i elyn mwya yn amlach na pheidio ydy chwilfrydedd – y rhai sydd am groesi i fyd newydd am y tro cynta a'r rhai sydd am groesi'n ôl i chwilio am ryw burdeb a fu, am ychydig o leia.

Mentro am fy mhabell. Gorwedd yno yn gwrando ar y camp o 'nghwmpas i.

"Ia, *mate*... Faw'ty Ten'po'es... billiyn'... Tusker...

John… un Tusker arall… un arall, John… billiyn', *mate*!"

Oedd, roedd fy nghymdogion yn Fawlty Tentpoles yn mynd i gymryd mantais llawn o'r bar. Yr ochr arall i mi, roedd Shirley a Shivaun wrthi'n gwneud eu hunain yn gyfforddus.

"Oooo, mae'r ddaear braidd yn lympiog, tydy Shirl?"

"Ydy, Shivaun. Nest ti ddod â *nail clippers*?"

"Do. Mae gen i rai yn rhywle. Nes ti ddim torri dy winedd cyn dod?"

"Do. Dwi jyst isio torri'r label oddi ar fy *sports bra* newydd."

"O. OK. Wyt ti'n mynd i gysgu ar ben dy sach cysgu neu ynddo fo?"

"Ar ei ben o. Bach o fatras rhyngdda fi a'r lypiau 'ma."

"Syniad da. Dwi'n meddwl ei fod o bach yn fach i mi beth bynnag."

"Ti sy'n rhy fawr iddo fo ti'n feddwl."

"*Cheeky*!"

"O. Reit… Shirl…?"

"Ia?"

"Wyt ti'n gwisgo nicyrs?"

"Na. Jyst fy *thermal longjons*."

"Gwell i mi dynnu fy rhai i, dwi'n meddwl…"

Ac yn y blaen. Go brin eu bod nhw'n sylweddoli nad ydy canfas a rhwyd yn cynnig yr un preifatrwydd â waliau dwbwl eu cartrefi *detached*. Llithro allan o fy sach cysgu a'i roi yn ei blyg oddi tana i. Noson dda o gwsg yn bwysig gan fod y cerdded yn dechrau o ddifri fory. Syniad da, Shirl!

Gwrando ar y tawelwch. Côd môrs y *cicadas* yn prysuro. Ambell i hiena yn sgrechian. Tawelwch swnllyd a . . .

DI DI DI-DI-DI- DI DI DI

. . . ffôn symudol.

"Hei, Kyle! Ma' *mates* fi yn y pyb! Bet dydyn nhw ddim yn gwerthu Tusker!"

"Hi hi hi."

Gwisgo Nike yng Ngardd Eden

Akili nyingi huondoa maarifa
Mae ffraethineb mawr yn gyrru doethineb ar ffo

"A phwy ddiawl sy'n cysgu efo hipopotymys, ta? E? E? E? Faw'ty Ten'po'es o ddiawl – mae o'n debycach i Snawring 'Aits! Snawring 'Aits! Ga'l o? Ga'l o? E? Snawring 'Aits!"

"Aaawun. Ti o'dd o, 'nte? Blydi hel! Aaawun yr hipo o Snawring 'Aits! Bydd Faw'ty Ten'po'es yn symud heno. Reit blydi pell o Snawring 'Aits... Hei, bawb, glywsoch chi'r hipo neithiwr? E? E? Glywsoch chi Aaawun yr hipo?"

Allwn i ddim hyd yn oed gywiro fy enw fy hun. Gwrido a chwysu fel petai hi'n ganol dydd dan lach tafod ailadroddus Connor.

"Glywsoch chi Aaawun yr hipo o Snawring 'Aits?"

Doedd neb arall am ymuno yn yr hwyl, ond neb am fy amddiffyn i nac am droi'r sgwrs chwaith.

"Glywsoch chi? E? E? Glywsoch chi? Bydd Faw'ty Ten'po'es yn symud heno!"

Mynd i eistedd ar 'y mhen fy hun a chuddio rhwng llinellau *Dail Pren* (cydymaith ffyddlon i mi ar bob taith).

Ymhen hir a hwyr, fe ddaeth brecwast. *Fish & chips* i swper neithiwr a choeliech chi fyth ond becyn ac wy i frecwast bore 'ma – becyn, wy, sosej, bins a thost. *Full blydi English!*

Mynd i grwydro at gyrion y camp. Sylweddoli bod y graith o oleuadau welis i neithiwr wedi ei chreu gan res hir o beilonau oedd yn croesi'r gwastadeddau. Sut na nes i sylwi ar hyn ynghynt wn i ddim. Eto mor debyg i adra. Tydy rhes o beilonau bygythiol sy'n brasgamu'n llonydd ar draws y paith ddim gwahanol i'r rhai sy'n sefyll yn stond ar wastadeddau Cymru ers degawdau. Be ydw i'n da mewn lle fel hyn, ynghanol darn bach o Loegr a'i phobl, ac yn gweld tebygrwydd i Gymru ym mhopeth, mewn gwlad a thir nad oes modd iddi fod yn fwy gwahanol i Gymru? Chwilio am y cyfarwydd ymysg yr anghyfarwydd. Does bosib 'mod i'n hiraethu?

Troi'n ôl am y babell a phacio 'mag. Pacio'r sach mawr fel bod y criw yn medru mynd â hwnnw yn y lori i wersyll heno. Pacio'r sach bach efo dŵr ac angenrheidiau'r daith ac ymuno efo gweddill y cerddwyr. Doed a ddelo, dwi'n mynd i orfod diodda rhain am yr wythnos nesa – a deled a ddeled, maen nhw'n mynd i orfod 'y niodda inna hefyd.

Cyn cychwyn cerdded, roeddan ni'n ymweld â'r ysgol oedd nid nepell o'r gwersyll. Arweiniwyd ni gan Kylie a Connor.

Mi gyrhaeddon ni yng nghanol y gwasanaeth boreol – emyn bywiog, gweddi a phawb yn rhoi eu dwylo dros eu llygaid, fel petaen nhw'n chwara mig â Duw, ac wedyn darlleniad o'r Beibl yn Saesneg – rhywbeth bach *for our English friends* i dorri ar y Swahili. Cael gweld yr ystafell ddosbarth a sylwi bod y meinciau wedi eu noddi gan daith gerdded Mind 2003. Methu deall, er cystal yr achos, beth oedd Mind yn ei wneud yn noddi ysgolion yn Kenya. Doedd dim eglurhad – ond digon o ddiolch. Cael cyfarfod pennaeth y llwyth a chadeirydd y llywodraethwyr. Mynd i'r swyddfa er mwyn arwyddo'r llyfr ymwelwyr a sylwi ar boster ar y wal oedd yn amlinellu nodau cyrhaeddiad yr ysgol, y dulliau cyflawni, a'u hymroddiad i ddulliau tryloyw o weithredu. Mae rhai pethau, a darnau ohonyn nhw, ar wasgar ar hyd y byd.

Chwara teg i Kylie a Connor, roeddan nhw wedi bod yn casglu cyn dod ac wedi dod â Nadolig o deganau a thrugareddau efo nhw i'w rhannu efo plant yr ysgol a phlant y stryd ac roeddan nhw'n amlwg yn cael pleser mawr wrth rannu a chwara efo'r plant gan ddangos iddyn nhw sut i chwara snap neu chwara efo ffrisbi am y tro cynta. Erbyn gweld, o blith y trysorau hyn roedd y bêl ar gyfer pencampwriaeth neithiwr wedi dod. Ynghanol hyn oll, roedd William yn rhannu *wet-wipes* ac yn cael mwy o groeso na neb gan y plant.

Am wyth, dyma ddechrau cerdded. Yr holl ymarfer a pharatoi, y chwysu a'r ymbalfalu ymhob tywydd, y cynllunio a'r casglu nawdd – y cyfan ar gyfer y camau hyn a'r dyddiau i ddod.

Dilyn Tukai at droed Susua ydy'r nod heddiw, mae'n debyg. Cerdded ar y gwastad. Taith hir a phoeth. Tywydd trowsus byr oni bai am y tirwedd. Tirwedd anial sych ac ond chydig iawn yn tyfu arno fo yr adeg yma o'r flwyddyn ond drain esgyrnog. Cerrig a thyllau'r sglaffiwrs morgrug ydy'r trafferthion mwya dan draed. Ardal a gerfiwyd gan losgfynyddoedd ydy hon. Mae'r lafa'n dal dan draed ymhobman. Weithiau wedi ei falu'n fân, dro arall yn gragen denau dros y ddaear. Roedd fel petai'r graig i'w chlywed yn wag wrth i rywun ollwng ffon, neu garreg ar lawr. Pan oedd y gragen yn torri roedd y pridd i'w weld o dan ryw naw modfedd neu droedfedd o garreg lafa – fel petai ton o dân wedi rhewi ar wyneb y ddaear.

Er nad oedd y cerdded yn anarferol o galed, roedd y criw wedi ei daenu, cyn pen dim, yn gynffon go denau ar hyd rhyw chwarter milltir o'r paith. Mae'n ymddangos bod heddiw eto yn mynd i fod yn ddiwrnod digon hamddenol, y cerdded yn rhwydd a'r tywydd yn braf heb fod yn rhy boeth.

Dal i fyny efo hogan dal, siapus oedd yn cerdded ar ei phen ei hun.

"S'mai?"

"Hai-ia." Llais yn gymysgedd o fwrlwm a mwythau a dau lygad glas mor llachar nes 'mod i'n cilio oddi wrthyn nhw bron.

"Arwel ydw i."

"Waw! Cymro wyt ti? Grêt. Be mae A-r-w-e-l yn feddwl."

"Dwn i'm, duw… Be 'di dy enw di?"

“Sally.”

“Be ma Sally’n feddwl?”

Chwerthiniad iach a *touche* yn y llygaid gleision – roedd hon yn mynd i fod yn gwmni difyr. Roedd hi’n ohebydd efo papur newydd lleol yng Nghernyw ac yn gobeithio cadw cofnod manwl er mwyn sgwennu cyfres o golofnau ar ôl mynd adra.

“Dwi’n cadw dyddiadur hefyd.”

Stopiodd yn stond a rhoi ei llaw ar fy mraich i.

“Wyt ti? Waw! Wyt ti’n deud y gwir wrtho fo?”

“Dwi’n trio.”

“Wyt ti’n deud be ti ddim yn ’i hoffi am bobl a’r pethau ti’n ’u hoffi?”

“Ydw, dwi’n meddwl.”

“Wyt ti wedi deud be ti’n ’i feddwl o Connor a Kylie?”

Roedd hon wedi ei gweld hi.

Cerdded ymlaen a siarad bymtheg yn y dwsin am bob math o bethau.

Tua chanol y bore dyma gyrraedd lle oedd yn ymddangos fel gwerddon. Twll, nid annhebyg i chwarel fechan agored, â choed a phlanhigion yn ffynnu yn y cysgod a’r mymryn o leithder oedd yn codi i’r wyneb yno. Erbyn gweld, yng ngwaelod y werddon hon roedd ogof. Roedd llenyddiaeth hyrwyddo’r daith yn sôn am archwilio ogofau cyfrin yn ystlys hen losgfynyddoedd, ogofau nad oedd yr un bod dynol arall wedi bod ynddyn nhw erioed (o bosibl!). Mi ddywedwn i nad oedd yr ogof arbennig yma beth bynnag yn ddieithr i ymweliadau gan fodau dynol ond, ta waeth, roedd y daith i lawr yn werth y drafferth. Dringo i lawr y llechwedd trwy frigau'r coed a thrwy rwydi eang o we pry cop oedd yn llachar yng ngolau'r haul a phob un â chorryn bychan bach cwbl farwol yn llechu yn ei chanol. Gofalai Tukai am y pryfaid cop a thra 'mod i'n gofalu cadw'r brwgaets a'r brigau allan o wyneb Sally roedd hithau'n gofalu am yr un oedd yn ei dilyn hithau.

Roedd cerdded i lawr at geg yr ogof fel cerdded drwy locsyn rhyw gawr i gyffiniau ei geg o ac wedyn bod yn ddigon ffôl i fentro i mewn i'r cynhesrwydd llaith. Y tu mewn i enau tywyll yr ogof roedd miloedd o ddannedd miniog a oedd am y gorau i frathu. Creigiau miniog dan draed a'r pibonwy calch yn bygwth o'r to. Mentro ymhellach ac ymhellach i mewn i'r tywyllwch gyda thorts, pob un ohonon ni'n mynd yn fwy ac yn fwy di-nod efo phob cam a gymerem. Cyrraedd rhyw ben draw ble'r oedden ni ar ein gliniau yn cropian dan y to isel nes bod yn rhaid aros, oherwydd yn union fel petaen ni ymhen draw ceg yr hen gawr dyma llawr yr ogof yn disgyn oddi tanon ni yn ddisymwth wrth iddo gymeryd tro am y corn gwddw. Yn ôl Tukai nid ogof fel y cyfryw ydy'r twll yma ond tiwb lafa. Wrth i'r lafa lifo oddi ar y mynydd roedd y tu allan yn oeri ac yn caledu yn llawer iawn cynt na'r tu mewn. Golygai hyn yn ei dro bod y lafa gwlyb yn dal i lifo drwy'r lafa caled, heb oeri o gwbwl a chan greu pibell i bob pwrpas. Cerdded i mewn i un o'r pibelli hynny oeddan ni wedi ei wneud ac yn y lle roeddan ni wedi aros ar hyn o bryd roedd y 'bibell' wedi digwydd cymeryd tro at i lawr – yn union fel corn gwddw'r hen gawr.

Dringo allan drwy'r clwt o jyngl oedd rhyngon ni â haul canol dydd a gweld bod pedair o ferched ifanc yn disgwyl amdanon ni, pob un â'i babi ar ei chefn a phob un yn trio gwerthu rhyw grefftau traddodiadol neu'i gilydd i ni. Ambell un yn prynu ambell beth. Eglurodd y meddyg y byddai o leia un o'r babanod roeddan ni newydd eu gweld yn marw cyn pen dim, yn fwy na thebyg o rywbeth mor hawdd i'w drin â dolur rhydd. Roedd hi'n bur debyg y byddai un neu ddau o'r babanod eraill yn colli'r naill riant neu'r llall neu'r ddau o'u rhieni i AIDS. Byddai'r cyfan yn mynd o ddrwg i waeth wrth iddyn nhw gael rhyw efo mwy o bartneriaid oedd eisoes yn diodde o AIDS a mwy na thebyg yn HIV bositif. Byddai'r bobl hyn yn gwneud pob ymdrech i fyw yn wyneb marwolaeth gan geisio sicrhau bod rhywun yno i ofalu amdanyn nhw yn eu henaint neu'n eu gwaeledd. Cylch o drasiedi dieflig.

Yna, roedd yn rhaid cerdded ar draws crachen sych ar graith hen losgfynydd – sychder a fyddai'n codi'n llyn unwaith eto mewn chydig wythnosau pan fyddai'r glawogydd yn dod.

"Wyt ti wedi priodi?" holais.

Am unwaith, fe gadwodd Sally ei llygaid yn llonydd.

"Ydw."

"Ydy o yma efo chdi?"

"Na, mae o adra yn edrych ar ôl Jane, y fechan."

"Oes rhywun yma efo chdi?"

"Dwi yma efo Beryl. Mae hi tu ôl i ni."

A heb i mi holi dim arni, ychwanegodd...

"Naethon ni gyfarfod wrth wneud ras 10K fis yn ôl. Dan ni wedi dod yn ffrindia agos ers hynny. Doedd hi ddim yn gwybod am y daith. Fel y digwyddodd hi, doedd hi ddim yn gyfleus i Dave, fy ngŵr, ddod gyda mi. Mae o'n brysur yn y gwaith. Rhoddodd o'r pres roedd o wedi'i godi i Beryl er mwyn iddi hi gael dod efo fi."

Wrth iddi siarad roedd ei llygaid hi'n bywiogi drachefn.

"A be amdanat ti?" A'r llygaid ar *full beam*.

Mi gafodd hi'r atebion stoc i gyd a chydig yn rhagor... Ro'n i'n medru dal ei llygaid hi erbyn hyn.

Sylwi bod y criw wedi cyrraedd o'n blaenau ni ac wedi gosod eu hunain wrth droed rhyw glogwyn rhonca oedd yn ffurfio gwefus isel o gwmpas soser y mynydd. Roedd y clogwyn yn cynnig cysgod naturiol rhag haul canol dydd fel petai rhywun wedi cymeryd cegiad o'r graig i greu arosfan bws i ddeinosoriaid.

Cysgodi yma am awr neu ddwy tra bod yr haul boetha a mwynhau brechdanau caws a salad, a ffrwythau roedd yr hogia wedi eu paratoi i ni – y trydydd pryd ac eisoes does dim modd i'r fwydlen fy synnu.

Treulio awr neu ddwy ar ôl cinio yn pendwmpian a mân siarad. Eistedd yn dawel glun-yng-nghlun efo Sally a'r ddau ohonan ni'n cadw'n dyddiadur. Tybed oedd hi'n sgwennu amdana i tra oeddwn i'n sgwennu amdani hi? Roedd y ddau ohonan ni wedi cerdded yr un daith gam am gam. Tybed oeddan ni wedi gweld a phrofi'r un gwirionedd?

Syllu ar yr olygfa a methu â pheidio rhyfeddu at wres y dydd ac at y miloedd o erwau o wacter oedd o'n blaenau ni a meddwl ein bod ni, gwta bedair awr ar hugain yng nghynt ym mwrllwch gaeaf Lloegr. Mae hwn yn wacter sy'n llawn prysurdeb. Gwacter sy'n cyflenwi dau gant a deg o blant i'r ysgol roeddan ni ynddi'r bore 'ma. Gwacter sy'n llawn anifeiliaid dof a gwyllt. Gwacter sy'n cael ei fugeilio gan lwyth y Masaai ers milenia. Y tawelwch yn mynnu sylw pob un ohonon ni a phawb, hyd yn oed Connor a Kylie, yn rhyfedd o dawel ar ôl cinio. Y tawelwch tragwyddol, y sŵn sylfaenol nad oes dim newid arno fo – fel hyn roedd hi cyn i ni fod yma, fel hyn y bydd hi ar ôl i ddynoliaeth ddiflannu. Pa sŵn bynnag mae pob oes yn ei wneud, yr un ydy'r tawelwch.

DIDI DI-DI-DI DIDIDI

Ond wrth gwrs doedd gan y deinosoriaid ddim ffonau symudol... Roedd Millwall wedi ennill.

Sylwodd rhywun fod un bugail tawel yn gorwedd yng nghysgod coeden anorecsic yn ein gwylio ni o bell. Sylweddolodd rhywun arall fod rhai o'r merched yn picio tu ôl i graig gyfagos bob yn ddwy i fynd i'r tŷ bach.

"*Wee know what you're doooing! Wee know what you're doooing! Wee know what you're doooing!* Dach chi'n ei chael hi? *Wee? Wee? Wee-wee? Wee know what you're doooing!*"

"Hi hi hi."

Tybed beth oedd y bugail yn 'i feddwl o hyn: ciwed o bobl wyn yn aros am ginio a'u merched nhw'n codi fesul dwy i fynd tu ôl i graig gyfagos, yn noethi'u tina, cyrcydu a phiso o'i flaen o. Ystyried wedyn fel mae amgylchiadau yn gwthio ffiniau yr hyn sy'n dderbyniol. Shirley a Shivaun, canol oed parchus, fyddai byth yn meddwl gwneud y fath beth yn Milton Keynes. Ond yma, yng nghanol hanfodion natur, mae'r ffiniau'n wahanol. Un peth sydd ddim yn newid wrth gwrs ydy eu bod nhw'n mynd fesul dwy. Roedd gan y bugail gythgam o stori i'w dweud wrth ei ffrindiau!

Cerdded unwaith eto ar y gwastadedd undonog, pigog, poeth. Roedd rhai fel William â'u llygaid barcud yn gweld pob math o anifeiliaid wedi toddi i'r cefndir crin. Sylwais i ar ddwy fuwch yn cael eu tywys gan blentyn yn ei arddegau cynnar. Nes i ddal fy hun yn tynnu llun ohonyn nhw. Dwy fuwch a thwrist twp efo camra. Sôn am ffiniau'n symud. Yn sydyn, ro'n i'n dychmygu fy hun yn teithio yn y car i Dregaron ac yn mynnu aros i dynnu llun dwy Ffrisian yn y cae. Ella bod yr haul a'r brechiadau yn effeithio ar rywun, yn gwneud i rywun weld y cyffredin yn anghyffredin. Fe dynnwyd y llun ac roedd hi'n gythgam o fuwch ddiddorol.

Cyrraedd ysgol arall ymhen sbel. Y tro hwn, fe gefais eglurhad ynglŷn ag obsesiwn Henry efo ysgolion – dwy mewn un diwrnod ar daith noddedig at elusen iechyd meddwl ym Mhrydain. Y tro hwn, ar ôl gwrando ar gân a gweddi, darlleniad ac araith – oedd yn amlwg am fod yn faith ond a gwtogwyd yn llythrennol ddiseremoni gan Henry – fe gyflwynwyd tanc dŵr i'r ysgol. Mae'r ysgol yn newydd, gan y byddai plant yr ardal, cyn hynny, wedi gorfod cerdded yn bur bell i'r ysgol y buon ni ynddi ar ddechrau'r daith.

Un mawr plastig, tua deng troedfedd o uchder a deugain troedfedd o gylch, oedd y tanc dŵr ac fe'i cariwyd draw yng nghefn y tryc oedd yn cario ein pebyll a'n paciau ni. Dwi'n falch o fod yn Gymro bob amser ond heddiw roedd gen i achos arbennig i fod yn falch oherwydd ar ochr y tanc mawr du 'ma roedd y geiriau, '*Donated by the Prince and*

Princess of Wales Charitable Trust'. Does wybod faint oedd oed y peth, nac o le y daeth o, o ystyried cymaint o amser a fu ers pan oedd y *Prince* a'r *Princess of Wales* yn briod. Ta waeth, roedd yr eglurhad am yr holl elusen yn un syml o ymarferol. Nid parc cenedlaethol mo'r tir hwn roeddan ni'n ei gerdded heddiw ac yn aros arno fo neithiwr a heno ond tir preifat y llwyth a phennaeth y llwyth oedd cadeirydd llywodraethwyr yr ysgolion wrth gwrs. Er mwyn cael tramwyo'r tir, roedd yn rhaid cadw'r Pennaeth yn hapus, felly ei ddynion o oedd yn gweithio i Henry a phlant ei blant oedd yn elwa ar yr adnoddau, yr arian a'r tanciau dŵr a roddwyd iddyn nhw yn enw Mind. Ymlaen â ni yn ddoethach o wybod gymaint â hynny.

Roedd yr haul yn wirioneddol boeth erbyn hyn a Tukai'n mynnu bod awr a hanner beth bynnag o waith cerdded cyn cyrraedd y camp. Wrth gerdded dyma sylwi ar berth yn llosgi. Coelcerth fechan o ddrain a mwg yn codi ohoni. Ond o gyrraedd ychydig yn nes roedd hi'n amlwg nad oedd y berth yn cael ei difa. Nid mwg oedd yn codi ohoni ond stêm. Roedd twll yn y ddaear yn mynd at galon gynddeiriog y llosgfynydd oddi tanon ni ac yn gadael iddo fo ollwng stêm. Er mwyn manteisio ar y lleithder, mewn ardal a chyfnod mor sych, roedd y Masaai yn rhoi drain dros y twll er mwyn dal yr anwedd wrth iddo fo godi, a throi'n ddiferion o ddŵr wrth oeri. Gosodwyd powlenni bychain o dan y brigau i ddal y diferion. Cymerai ddyddiau neu wythnosau i lenwi rhai o'r powlenni hyn ond roedd pob diferyn yn cyfri, yn llythrennol.

Cyrhaeddwyd y gwersyll yn llawer iawn cynt na'r disgwyl. Gwell cael siom ar yr ochr orau mae'n debyg. Ro'n i ymysg y cynta'n ôl – nid bod hynny'n cyfri wrth reswm. Ond roedd o'n golygu 'mod i hefyd ymysg y cynta i fanteisio ar y cawodydd.

Fish & chips, becyn ag wy, brechdan salad a chaws, a chawod gynnes. Dwy neu dair o gawodydd cynnes efo mat dan draed. Ciwbicl pedair wal heb do oedd yn caniatáu i haul hyderus Affrica dylino'r cymalau blinedig a chyfle i fwynhau'r dŵr oedd wedi bod yn cynhesu uwchben tân y gwersyll cyn ei dywallt i fagiau tebyg i fagiau drip wrth wely mewn ysbyty ond bod y rhain yn siŵr o fod yn dal rhyw bum litr. Roedd yn rhaid bod yn ddarbodus ond roedd y syniad o gael cawod gynnes yng nghanol peithdir Affrica ar ôl diwrnod caled a llychlyd o gerdded a chwysu yn rhyfeddol.

"Hei! Hei! Hei! Ma'n nhw'n blydi cynnes. Ma'r shawyr yn blydi cynnes. O, rhaid i mi tecstio'r hogia. 'Na i yrru llun o hon iddyn nhw tra dwi wrthi!

"Hi hi hi."

"Blydi billiyn'. Billiyn'."

Ond, wrth reswm, doedd pobl ddim yn fy noddi i fwynhau moethusrwydd fel hyn, felly roedd yn rhaid dechrau paratoi'r stori rŵan – cawodydd uffernol efo bwcedaid o ddŵr oer… Fe fydd y stori adra yn swnio rhywbeth yn debyg i…

"Roedd y cawodydd yn uffernol. Ciwbicl tywyll wedi ei osod yng nghornel y camp. Bwcedaid o ddŵr oer efo twll yn y gwaelod a chorcyn yn rwystro'r llif. Roedd y pridd dan draed wedi troi'n fwd gan fod dau ddeg a naw ohonon ni wedi bod yn rhannu'r un gawod. Erbyn i mi gyrraedd roedd hi wedi tywyllu ac oeri a doedd dim modd dweud pa bryfetach oedd yn y pridd dan draed heb sôn am faint o ddŵr oedd ar ôl yn y bwced – ac wrth gwrs roedd hwnnw'n rhwym o orffen pan oedd 'y ngwallt i'n llawn sebon ac yn rhedeg i'n llygaid i. Fydd un gawod yn ddigon ar gyfer y daith gyfan tybed?"

A chan 'mod i wrthi'n cofnodi moethusrwydd y lle 'ma, cystal nodi mai twll yn y ddaear ydy'r tŷ bach – ond bod hwnnw wedi ei amgylchynu efo ciwbicl canfas efo to arno fo a bod sedd toiled wedi ei gosod mewn ffrâm rhyw droedfedd neu ddwy uwchben y twll. Dweud y gwir – ond nid yr holl wir – pia hi yn yr achos yma!

Gwersyll moethus a cherdded hamddenol mewn tywydd braf – amau unwaith eto ydw i ar y daith iawn.

Cael swper – cyw iâr a llysiau – efo Henry, William, Shivaun, Shirley a Sally. Cael yr argraff gan y lleill o gwmpas y bwrdd bod 'na ddau gamp o fewn y gwersyll fel petai, a bod sŵn Connor a'i giwed yn dechrau mynd ar nerfau rhai o'r lleill hefyd. Neu tybed ydw i'n chwilio am gynghreiriaid? Yn sicr does neb am wneud pethau ganwaith gwaeth trwy ddechrau siarad am y peth – ond roedd ambell i edrychiad ac ambell i ochenaid yn ddigon i roi gwybod i mi nad oedd pawb yn rhannu'r jôc.

Ar ôl swper, fe ddaeth dawnswyr traddodiadol y Masaai i'n diddanu ni. Dillad lliwgar a'r ddawns ryfedda o siglo'n ôl ac ymlaen a neidio'n uchel uchel o'u hunfan cyn mynd drot drot ymlaen. Pistonau mewn peiriant hynafol yn gyrru ymlaen i gyfeiliant beth oedd, i 'nghlust i, yn gnadu rhythmig ac ambell sgrech.

Ond roedd yr hogia yma i ennill tipyn bach o bres poced. Roedd Henry wedi gwrthod gadael iddyn nhw ddawnsio neithiwr am ei fod o wedi methu taro bargen efo'r Pennaeth. Roedd y pris yn agosach at y marc heno mae'n amlwg ond doedd calon yr hogiau ddim yn y gwaith. Roedd holl naws y peth yn ymdebygu i 'dach chi'n Fasaai – dawnsiwch' yn union fel 'dach chi'n Gymry – canwch'. Roedd pwl da o chwerthin yn gyrru'r ddawns yn ei blaen lawn cyn amled â'r camau traddodiadol a than yr wyneb roedd rhyw awgrym o embaras roedd modd ei ddiodde gan fod yr hogia i gyd efo'i gilydd a chan nad oeddan nhw'n debyg o nabod neb yn y gynulleidfa.

Dyma'r bobl oedd wedi dawnsio'n droednoeth ar hyd llwybrau'r sêr am filenia. Ond nid felly erbyn hyn – wel, nid yma p'run bynnag. Dawnsiai sawl un mewn treinyrs Nike, roedd wats am sawl garddwrn a thorts gan sawl un –

wedi'r cyfan, roeddan ni wedi trefnu'r dawnsio am hanner awr wedi saith a hithau'n dywyll felly os oedd pethau i ddigwydd fel dylen nhw roedd yn rhaid cael torts a wats.

"Hei – Nike! Hi hi hi – Nike – a *watch*. O, rhaid cael hwn ar y *vid*. Lle ma'r *vid*? A, shit, ma'r blydi batri'n fflat. Shit batri. Shitshitshit."

Yng nghanol hyn oll, eglurodd Henry i ni nad oedd yr hogiau oedd yn dawnsio na'r rhai oedd yn ein helpu ni efo'r camp yn perthyn i'r Masaai o gwbwl, ond mai Kikuyu oeddan nhw. Mae'r Masaai bron a bod yn *brand* y bydd pawb yn eu cysylltu â sawl rhan o Affrica erbyn hyn – nhw ydy Gwyddelod Affrica. Os ydy twristiaid twp fel fi yn cael mynd adra'n fodlon â'n storïau a'n lluniau o 'bobl draddodiadol a'u diwylliant rhyfedd', yna bydd y brodorion hefyd yn hapus, heb boeni dim pa genedl 'dan ni'n feddwl ydyn nhw, cyn belled â'n bod ni wedi'u talu fel y gall eu teuluoedd fwyta am chydig eto.

Ond fel pob traddodiad, yr hyn sy'n bwysig ydy bod yn rhaid iddo edrych fel petai o wedi bod yno erioed. Mae'n debyg nad ydy'r dillad roedd y dawnswyr yn eu gwisgo ddim yn gwbl 'draddodiadol' hyd yn oed. Pan welodd y cenhadon cynta y brodorion yn dawnsio fel hyn roeddan nhw'n gwbl noeth – y dawnswyr felly, nid y cenhadon! Wrth gwrs roedd hyn yn amharu ar eu syniad nhw o beth oedd yn iawn, felly fe fynnon nhw eu bod nhw'n cuddio'u noethni ac yn gwneud hynny efo pa ddefnydd bynnag oedd wrth law a hwnnw'n digwydd bod yn ddefnydd traddodiadol o Loegr.

Doedd dim ots am y traddodiad na'r gwisgoedd na chymhelliad yr hogia dros ddawnsio. Heno roedd y cyfan yn newydd ac yn cael ei daflu'n olygfa liwgar yng nghanol tywyllwch y paith – fel golygfa o ffilm o bellafoedd daear yn cael ei thaflu ar sgrin y sinema adra, ond ein bod ni wedi ein llyncu'n rhan o'r olygfa. O'n i'n gwybod, heb edrych, bod y llygaid gleision wrth fy ochr i yn llonydd gan syndod.

Troi am 'y ngwely a sylwi'n syth bod Kylie a Connor wedi symud eu pabell ym mhell oddi wrth fy un i. Mynd i mewn i 'mhabell yn synhwyro rywsut bod hon yn mynd i fod yn wythnos hir. Gorwedd yn gwrando ar griw ohonyn nhw dan y babell fawr yn mwynhau eu cwrw. Connor yn annerch y dorf gyfan – er ei fod o'n siarad efo unigolyn, fedr o byth ddal llygaid neb.

"Jyst un bach arall… *Go on…* Un Tusker bach arall… *Go on…* Jyst un bach arall…"

Hithau â'i bloneg llac yn porthi.

"Hi hi hi."

Pam nad ydw i yn fa'no? Pam nad ydw i yn ei chanol hi yn gwneud mwy o sŵn na neb?

"Jyst un bach arall… *Go on…* Un Tusker bach arall… *Go on…* Jyst un bach arall…"

Dwi ddim yn perthyn yma. Be dwi'n da yma o gwbl? Yng nghanol Affrica mewn pabell ar fy mhen fy hun a honno wedi ei chodi ar ben pob lwmp a draenen a chraig a chagal a gollwyd yn nhragwyddoldeb yr hen le 'ma.

"Jyst un bach arall… *Go on…* Un Tusker bach arall… *Go on…* Ar gyfer cnesu'r dent… Newid cyfeiriad…"

"Hi hi hi."

Allwn i fod yn 'y ngwely fy hun. Allwn i fod adra yng nghanol wynebau cyfarwydd yn gwneud pethau cyfarwydd yn lle gorwedd yma dan warchae, yn unig yng nghanol yr anghyfarwydd.

"Jyst un bach arall… *Go on…* Faw'ty Ten'po'es… Reit bell heno ..."

Allwn i fod wrth 'y ngwaith, yn yr oerfel. Stwffia hynny. Aros yn effro nes bod hyd yn oed Connor yn llais unig yn yr anialwch…

"Jyst un bach arall… Rhywun am aros am un Tusker bach arall…? O, *go on…*"

… a disgwyl nes 'mod i'n clywed unawd, deuawd, triawd a chôr o chwyrnwyr o 'nghwmpas i. Allwn i droi wedyn a chysgu'n dawel (fy meddwl o leia) yn gwybod os oeddwn i'n chwyrnu nad y fi oedd yr unig un. Mae'n debyg mai fory ydy'r diwrnod caleta o'r cyfan.

Oes gafr eto?

Mficha uchi hazai

Ni chaiff y sawl sy'n cuddio'i rannau preifat byth blant

"Aaawyn. Dim ti o'dd o Aaawyn. O'n i'n effro trwy'r nos," medda Shirley, "a dim ti o'dd o Aaawyn."

"Na, Aaawyn, 'ma Shirl yn iawn." medda Shivaun, "O'n i'n effro trwy'r nos ac ro'dd rywun yn y dent tu ôl i ni a lawr fan'na, a draw fan'cw, yn chwyrnu fel y diawl, ond dim ti, Aaawyn."

Diolch. Ond dwi'n dal ddim yn trafferthu cywiro fy enw fy hun. Sylweddoli'n sydyn nad oeddwn i ddim wedi rhannu'r cyfan efo'r bobl yma. Dyma un criw o bobl sydd, hyd yma, heb gyfarfod Rocet. Teimlo fel ei gadael hi felly, am y tro beth bynnag. Enw y mae ffrindiau yn 'y ngalw i wrtho ydy Rocet.

Chwech o'r gloch y bore oedd hi ac roeddan ni'n codi fel roedd hi ar fin gwawrio. Erbyn i ni gael ein brecwast, pacio'n sachau mawr a pharatoi i gychwyn, roedd hi'n nes at saith.

Dringo o'r munud cynta y bore 'ma. Gosodwyd y gwersyll yng nghesail mymryn o lethr neithiwr a cherdded i fyny hwnnw oedd camp gynta'r dydd. Yr un oedd hi dan draed. Pridd llychlyd, crin, yn ymylu ar fod yn dywod, a choedwig denau o goed drain gwasgaredig, rhai yn crafu pengliniau rhywun, rhai eraill yn plygu yn ôl a chwipio ymlaen o gwmpas y llygaid. Creigiau, brigau, esgyrn gwynion a thyllau'r sglaffiwr morgrug ymhobman o dan draed.

Ar y chwith, roedd mynydd Susua a'r olygfa honno yn bur wahanol. Mae'n debyg bod hwn yn llosgfynydd unigryw gan fod iddo fo ddau gopa, y naill o fewn y llall. Roedd ymyl powlen y llosgfynydd yn creu dyffryn eang, dwfn iawn, yn llawn o goed gwyrdd, ac yn y canol roedd ynys gron, eto wedi ei gorchuddio â choed gwyrdd cyfoethog. Yma ac acw, mae cynffonnau hir o fwg yn codi allan o dan blygion y cwrlid gwyrdd fel petai hen gawr Kenya'n gorwedd yn ei wely yn cael sigarét gynta'r dydd, a chynffonnau o stêm yn codi o berfedd llosg yr hen foi. Mae copa Susua, y man ucha ar y bowlen allanol, yn 2357m a dyna'r nod am y bore 'ma.

Cerdded ar y blaen efo Beryl, ffrind Sally, am dipyn.

"Ti 'di Beryl? Arwel ydw i," meddwn i.

"Ma Sally wedi sôn lot amdanat ti," medda'r ddau ohonan ni fel côr llefaru blêr ar draws ein gilydd.

Gwallt cyrliog hir oren sydd gan Beryl, llygaid gwyrdd a brychni haul, ac er bod golwg ifanc 'ciwt' arni, mae hi'n llawer iawn mwy gwyliadwrus ohona i na'i ffrind.

"Be wyt ti'n neud, ta?"

"Dim lot."

"Ma'n rhaid dy fod ti'n stiwdant felly!"

"Na, dwi jyst yn gweithio i fyw. Dwi ddim yn byw i weithio."

"O. Diddorol. Be wyt ti'n neud pan wyt ti'n gweithio?"

"Seciwriti."

"Bownsar felly?"

"Na, dwi'n gwarchod unedau ar stad ddiwydiannol yn ystod y nos. Cysgu yn y bore a wedyn treulio'r diwrnod yn gwneud fel dwi'n dewis. Dwi ddim yn gweithio bob nos. Jyst pan ma angen y pres arna i. Partis a gigs ar benwythnosau. Glastonbury ar ôl mynd adra rŵan."

"Swnio'n fywyd braf. Oes yna lawer ohonach chi'n gweithio ar y seciwriti?"

"Dau. A phump ci."

Roedd y sgwrs yma'n waith caled. Roedd hi'n cerdded hanner cam o 'mlaen i trwy'r amser, ddim yn edrych arna i ac er ei bod hi'n ateb doedd hi byth yn holi dim.

"Rwyt ti a Sally yn dod o'r un ardal ta?"

Stopiodd a gwenu.

"Ydan. Dan ni'n ffrindiau penna. Wedi bod erioed. Mae hi'n grêt. Hi sy'n gwneud i mi ddal ati. Dan ni byth yn ffraeo. Mae hi'n ddifyr ac yn ddoniol. Mae hi'n ffrind da iawn i mi."

"Ro'n i'n meddwl bod Sally wedi deud mai ers mis dach

chi'n nabod eich gilydd. Ras 10K yn rhywle?"

"Ia. Ia-ia-ia... ond mae'n teimlo fel tasan ni'n nabod ein gilydd erioed. Dyna dwi'n feddwl – mae'n teimlo fel tasan ni'n nabod ein gilydd erioed."

Daeth neges dros y radio i Tukai gan dorri ar draws ein sgwrs. Roedd damwain wedi digwydd yn ôl yn y cefn. Roedd Shivaun, un o 'nghymdogion, wedi disgyn a thorri ei thri dant blaen. Mae'n debyg iddi faglu dros frigyn wrth siarad efo Shirley. Druan o Shivaun. Mae damwain yn ddigon gwael ar y gorau heb sôn am gael un ynghanol nunlle yn un o wledydd Affrica. Mae hynny'n gadael Shirley ar ei phen ei hun.

Dwi'n credu bod Shirley wedi ei gyrru yma i'n profi ni i gyd. Dan ni yma i godi arian i elusen iechyd meddwl ac, â phob parch, dwi'n meddwl bod Shirl druan yn dwlali bot. Mae hi wedi dadlau ynglŷn â phopeth ers i'r daith gychwyn. Hi ŵyr orau. Mae 'na un felly ar bob trip. Ond dydi pob un o'r rheiny ddim yn taflu cadeiriau at bobl achos eu bod nhw, yn ei thyb hi, wedi eistedd yn y lle anghywir wrth y bwrdd. Mae rhywbeth bach yn ei llygaid hi – y sglein sy'n codi yn llygaid anifail wedi ei gornelu, pan mae o'n troi o fod yn anifail dof i fod yn un mae'n werth sefyll o'r neilltu i wneud lle iddo fo. Yr un sglein sy'n ei gwneud hi'n llai o drafferth cytuno efo popeth y mae Shirley'n ei ddweud – jyst rhag ofn. Bronnau mawr wedi eu gwasgu i mewn i grys pêl-droed Lloegr, trowsus byr, sgidia cerdded, gwallt brown golau syth at ei hysgwydd, het am ei phen a dwy goes wen, a'r llygaid y tu ôl i sbectol pot jam. Dyna Shirley.

Roeddan ni i gyd wedi aros yn ein hunfan i glywed beth oedd wedi digwydd, ond fe allen ni glywed Shirley'n dod o bell...

"Ffycia fo. Ar y ffycin Henry 'na ma'r bai. Dwi'm yn cael mynd efo Shivaun i Nairobi. Mae hi'n gorfod mynd efo'r ferch na sy'n gweithio i Mind. Doedd dim byd yn y cytundeb am hyn. Dwi'n mynd i siwio. Ac mae gen i ffrind yn gweithio i'r *Milton Keynes Gazette.* Weithith yr Henry 'na byth eto. Dwi'n mynd i roi'r arian dwi wedi ei godi i'r Battersey Dogs Home."

Mae Henry a gweddill y tîm cyflogedig wedi mynd efo Shivaun i Nairobi, mae'n debyg, a'n gadael ni yng ngofal Tukai ac un neu ddau o'r lleill. Fedr dau beth ddim mynd o'i le mewn diwrnod, mae'n debyg.

Y dringo'n ara a chaled. Yr haul yn fflangellu rhywun ar ei war. Yr olygfa ar y chwith yn wych. I gychwyn, roedd rhywun yn meddwl mai dyffryn serth coediog yn unig oedd yno ond y pella a'r ucha roedd rhywun yn cerdded, amlycaf yn y byd roedd y tro yn y dyffryn, a'r tro yn troi'n gylch, a'r mynydd oddi mewn i'r mynydd yn dod i'r amlwg. Roedd y cyfan yn dawel, llonydd, ac yn unffurf o wyrdd. Bron na fyddai rhywun yn meddwl ei fod o'n farw wag, ond bod rhywun yn gwybod ei fod yn berwi o bob math o fywyd gwyllt.

Chydig o anifeiliaid oeddan ni'n eu gweld wrth ddringo. Roedd pob anifail call yn rhedeg i guddio wrth weld praidd ohonon ni'n dod ar droed i'w cyfeiriad nhw – praidd o'r unig anifail yn y byd bron sy'n lladd er mwyn pleser, yn lladd er mwyn brolio faint mae o wedi'i ladd ac yn waeth na dim, yn lladd er mwyn hoelio prydferthwch ar wal neu ei stwffio fo a'i osod mewn cas gwydr. Roeddan ni'n braidd unffurf ein lliw yn ein crysau-T brown ac yn unffurf ein marciau yn un o *logos* Mind. Mae'n siŵr bod yr anifeiliaid wedi hen fynd i guddio cyn i ni gyrraedd.

Wedi dweud hynny, sylwi ar ambell flodyn. Y blodyn lleia posib, llai na gewyn bys bach, yn tyfu ar ei ben ei hun mewn cilfach o'r graig sychaf un, a'r lliw pinc, glas neu felyn y dyfna a'r pura i mi ei weld erioed. Mae hwn yn byw ar y diferyn lleia o ddŵr, di o ddim yn dangos ei hun, ond mae o'n byw i'r eitha a'i gyfoeth yn rhyfeddol. Hatling o flodyn os buodd 'na un erioed. A dyna i chi'r drudwy – nid drudwy Branwen sy'n gyndyn iawn o ddangos ei liwiau ac sy'n ymddangos yn rhyfeddol o ddi-liw yn aml, ond ei gefnder Affricanaidd sy'n fyw o liwiau, fel petai o wedi creu llanast mewn siop baent cyn mentro allan efo gwên ar ei wyneb i ddangos ei hun i'r byd.

Wedyn roedd yna sboncyn y gwair oedd yn toddi'n berffaith i gefndir un math arbennig o ddeilen werdd – unwaith roedd llygaid rhywun wedi cynefino â gweld un, roedd modd sylwi ar ragor. Brigyn sylweddol o bryfyn tua chwe modfedd o hyd oedd yn wyrdd unffurf a di-nod cyn codi a hedfan. Unwaith roedd o'n codi, roedd o'n gollwng holl liwiau'r enfys i'r awyr fel petaen nhw wedi bod yn cuddio dan ei adenydd. Prism byw i olau'r haul. Waeth gen i beth ddywed unrhyw wyddonydd am y modd mae enfys yn cael ei chreu, o hyn allan llwybr naid y creadur hwn yn tywallt ei liwiau dros y byd fydd pob un.

Tynfa galed a'r haul yn dal i'n chwipio ni, a waeth beth oedd yr olygfa o boptu, doedd dim ond un peth yn hoelio sylw pob un ohonon ni – sodlau esgidiau'r sawl oedd yn cerdded o'n blaenau ni. Gan fod y ddringfa mor serth, er nad oedd y person nesa ond un cam ar y blaen, roedd eu sodlau nhw yn wyneb rhywun trwy'r amser. Beryl oedd ar y blaen i mi. Sgidia Samson gwyrdd oedd ganddi hi. Mi ddywedwn i eu bod nhw'n weddol newydd cyn dod yma. Gobeithio'i bod hi wedi eu torri nhw i mewn yn iawn. Roedd ei sanau gwynion delicet (ond drud a phwrpasol at y gwaith o gadw'i thraed rhag chwysu) yn frown gan chwys a llwch a chyhyrau cefn ei choesau hi'n gweithio'n galed wrth dynnu i fyny o gam i gam. Aros eiliad. Sgwrsio ymysg ein gilydd a sychu'r cymysgedd o chwys ac eli haul o'n llygaid.

Erbyn hyn, roeddan ni wedi cael ar ddeall mai dim ond un person oedd wedi mynd i'r ysbyty efo Shivaun a bod Henry a'r meddyg ar eu ffordd i fyny'r mynydd. Mi gyrhaeddodd y meddyg gan ryfeddu at yr holl anifeiliaid gwyllt roedd hi wedi eu gweld – sy'n profi eu bod nhw'n cuddio rhag y praidd mawr. Roedd hi'n dda o beth bod y meddyg wedi cyrraedd oherwydd wrth iddi gyrraedd aeth un o'r merched yn sâl. Gormod o wres, ac efallai'r uchder gan ein bod ni'n closio at ddeuddeg mil o droedfeddi uwchlaw'r môr. Roedd y mynyddoedd yma'n dwyllodrus o uchel gan fod y gwastadeddau maen nhw'n sefyll arnyn nhw tua naw mil o droedfeddi uwchlaw'r môr cyn cychwyn.

Aeth y ferch yn ôl i lawr ac fe gerddodd y gweddill ohonon ni yn ein blaenau. Mi fuodd yn rhaid i Sally druan aros unwaith neu ddwy. Roedd ei thraed hi'n bothelli byw. Mi gyfrodd hi chwech ar un troed. Unai dwi wedi bod yn lwcus, neu mae hi wedi talu i ymarfer.

Dringo ymlaen, gam wrth gam, a'r tro hwn rhyw hen sgidiau lledr oedd yn fy wyneb i. Roeddan nhw wedi llacio i siâp troed eu perchennog, wedi colli eu sglein ac yn grafiadau byw fel y goes flewog oedd yn tyfu fel rhyw gactus egsotig allan o bot pridd yr esgid frown. Camau pwrpasol, didrafferth, y cerddwr profiadol. Cyn-Athro o'r enw Martin. Roedd o wedi ymddeol yn ddeugain mlwydd oed ac wedi setlo i'w swydd newydd o fod yn Gyn-Athro ers deuddeng mlynedd a rhagor. Gan ei fod o wedi bod yn Athro credai'n gydwybodol y dylai'r to newydd wrando arno fo pan fyddai'n datrys holl broblemau'r byd addysg ac yn gwaredu at y diffyg disgyblaeth oedd yn cael ei amlygu wrth weld y giwed a fyddai'n hel o flaen ei siop *chips* o. Cyffuriau, rhyw, alcohol, iaith anweddus a diffyg parch at unrhyw un dros ddwy ar bymtheg. Petai o'n eu cael nhw mewn dosbarth am hanner awr fydden nhw fawr o dro yn dysgu ymddwyn. Tybed pam nath o ymddeol?

Beth bynnag, daeth y coesau blewog i stop ac o godi 'mhen ro'n i'n sylweddoli ein bod ni ar y copa. Roedd cyrraedd y copa fel agor drws mawr yn yr awyr. Yn sydyn, o fod yn syllu ar graig a llwybr llychlyd a sgidia Cyn-Athro roedd rhywun wedi agor drws ar ystafell fwya'r byd i gyd – miloedd ar filoedd o erwau o beithdir Affrica. Roeddwn i fel petawn i'n syrffio ar frig ton enfawr o lafa. Y tu ôl i mi roedd ton arall yn ei dilyn ond o 'mlaen i roedd llanw cyfan o donnau yn raddol rowlio'n llai ac yn llai wrth gyrraedd tuag at ryw lan bell nad ydyw'n bod. Ro'n i fel petawn i wedi 'ngosod gan gyfrifiadur mewn ffotograff oedd wedi ei dynnu ganrifoedd lawer yn ôl, yn simsanu ar ewyn berw y don ola o lafa.

"Arnat ti ma'r blydi bai. 'Na i sgwennu at rywun, sdi. Gen i ffrind yn gweithio i bapur newydd."

Mi gyrhaeddodd Henry ben ei dennyn a Shirley'n plycio wrth y pen arall. Parodd ei phregeth hi bob cam o'r ffordd i fyny'r mynydd. Roeddan ni ar fin tynnu llun o'r criw efo'i gilydd ar y copa pan gyrhaeddon nhw.

"Roeddech chi'n mynd i dynnu llun hebdda i, debyg. Doeddech chi ddim yn meddwl disgwyl amdana i, mae'n siŵr. Prin eich bod chi wedi sylwi 'mod i ar goll. Wel, twll y'ch tina chi!" medda hi gan wthio reit i ganol y llun. Roedd yr olwg yna yn ei llygaid hi yn ddigon i agor llwybr iddi – bydda fo'n ddigon i agor y Môr Coch.

Brasgamu i lawr y mynydd a chyrraedd y cysgod tarpolin oedd wedi ei osod ar gyfer cinio ddim ym mhell o'r gwaelod. Brechdan gaws a salad tiwna i ginio. Ond waeth am hwnnw – y cysgod oeddan ni'i angen. Roedd hi'n wirioneddol grasboeth. Mor boeth nes bod rhywun wedi cael digon ar fod allan yn ei ganol o ac yn ysu am gysgod fel mae rhywun yn sychedu am ddiod o ddŵr neu'n llwgu isio bwyd. Sylweddoli, ar ôl eistedd, bod 'y nwylo i wedi chwyddo'n fawr a bod 'y ngwar i wedi ei flingo'n noeth gan yr haul. Roeddwn i mewn cyflwr go beryglus â hanner taith y dydd ar ôl.

Llyncu diarolite – cymysgedd o halen a siwgwr y mae'r corff ei angen, efo cyraints duon wedi eu hychwanegu i guddio'r blas. Mae o'n blasu'n union fel halen, siwgwr a chyraints duon! Llyncu peth o hwnnw i wneud yn iawn am yr holl chwysu roedd rhywun wedi ei wneud. Rhoi eli ar gefn 'y nwylo. Pwy sy'n meddwl am roi eli ar gefn eu dwylo? Ond pan mae rhywun yn cario ffon mae o'n codi cefn ei ddwylo i'r haul trwy'r amser. Cael dau ddarn o fandej gan Jo'r meddyg a'u lapio nhw am 'y nwylo, gosod sgarff rhywun arall am 'y ngwddw a mentro allan eilwaith i haul y dydd yn edrych fel mymi oedd wedi cerdded bob cam o byramidiau'r Aifft.

Cyrraedd y gwaelod. Cerdded ar y gwastad am ryw hanner awr, yna i fyny bryn bychan a throsodd a chael edrych allan ar wastadedd eang oedd yn codi'n serth ar yr ymyl bella fel rhyw ffos anferth. Yr ochr draw i'r clogwyn yn rhywle roedd y camp ar gyfer y nos.

Roedd y criw oedd yn cerdded y prynhawn 'ma wedi lleihau'n arw mewn nifer. Doedd Connor ddim wedi cerdded o gwbl – doedd o ddim yn teimlo'n dda, Shivaun yn yr ysbyty wrth gwrs, a Mary, un o'r trefnwyr, wedi mynd efo hi. Doedd Jenny, y ferch oedd wedi bod yn sâl ar y mynydd, yn dal ddim yn dda, a sawl un arall fu'n araf yn dod i lawr y mynydd wedi manteisio ar gyfleusterau'r Land Rover i gael gorffwys a dal i fyny efo ni cyn ailgychwyn cerdded. Ond roeddan ni yma i gerdded, felly, cyn belled ag o'n i'n y cwestiwn, cerdded oedd rhaid.

Cerdded y gwastadedd i gyfeiriad bwlch bychan yn y clogwyn yr ochr draw. Wrth gerdded i gyfeiriad y llen o graig oedd o'n blaenau, sylweddoli bod llen arall, yr un mor bendant, yn datblygu y tu ôl i ni. Llen lydan, uchel, lwyd fel petai blanced o aliminiwm pŵl wedi ei thaenu allan i sychu ar ryw lein ddillad a dynnwyd yn dynn rhwng copa Susa a Longonot. Ond doedd dim yn mynd i sychu yn fan'ma am sbel. Llen anferth o law trwm oedd yn ymgasglu y tu ôl i ni fel y byddinoedd animeiddiedig yn y ffilmiau *Lord of the Rings*. Doedd dim gobaith mynd i fochel rhag hwn. Cerdded ymlaen gan geisio peidio â meddwl am yr hyn oedd o'n blaenau a chan obeithio y byddai'r storm wedi chwythu ei phlwc cyn ein cyrraedd ni. Ond wrth gerdded roeddan ni'n sylweddoli ein bod ni'n mynd i gael ein dal rhwng y mur o graig oedd o'n blaenau ni a'r mur o ddŵr oedd y tu ôl i ni. Doedd dim amdani ond gwisgo'r got law a gobeithio'r gorau.

Wrth i'r glaw ddod yn nes ac yn nes, fe ruthrodd rhywbeth allan o'i ganol. Fel mae marchog yn carlamu allan o'r llu cyn cychwyn brwydr i gynnig un cyfle ola i'r gelyn ildio, fe ruthrodd Range Rover Henry i'n cyfeiriad ni, a'r lori arall y tu ôl iddo fo. Roedd y rhai oedd heb gerdded ers cinio yn un a neb yn y llall. Mi gafodd ambell un eu temtio. Doedd Shirley ddim yn mynd i wlychu – doedd hynny ddim yn y cytundeb – felly fe aeth i mewn i'r Range Rover a bu'n rhaid i Henry a'r meddyg ddod allan i ymuno hefo ni. Roedd yn rhaid iddyn nhw fod efo ni rhag ofn i rywbeth ddigwydd. Daeth Sally allan – pothelli neu beidio, roedd hi am gerdded ac roedd gwên ar ei hwyneb. Aeth pedwar neu bump o'r lleill i mewn i'r cerbydau ac eistedd yno'n siarad efo ni drwy'r ffenestri agored fel y daethon ni dan ymosodiad cynta'r glaw oedd 'yn llafn, glaw yn llawn picelli'.

Dyna'r glaw rhyfedda i mi fod ynddo fo erioed. Glaw oedd yn rhy drwm i wlychu dim ar y tir o'n cwmpas ni ar y dechrau. Disgynnai mor drwm nes gyrru llwch y llawr yn gymylau bychain i'r awyr. Ac, er ei bod hi mor boeth eiliadau ynghynt, roedd y glaw yma'n eithriadol o oer gan ei fod o wedi bod yn cronni mewn cymylau *cumulo nimbus* oedd fel seilos anferth ddeng mil ar hugain o droedfeddi yn yr awyr, ac mi roedd hi'n oer i fyny fan'no. I ddechrau, roedd y bwledi glaw yn gadael tyllau perffaith grwn yn y ddaear; roedd o fel gwylio wal yn cael ei rhidyllu gan *machine gun*. Roedd y dŵr fel petai o'n llifo drwy'r tyllau roedd y diferion wedi eu gwneud, yn codi o'r ddaear yn hytrach na disgyn o'r awyr. Cyn i ni droi, roedd miloedd o erwau o lwch yn bwll mawr o ddŵr.

Doedd sefyll yn llonydd yn gwneud dim lles i neb. Cerdded, dyna oedd rhaid. Cerdded a cherdded yn galed i fyny'r llethr oedd, funudau ynghynt, yn edrych fel wal uchel. Dilyn Tukai. Sgidia gorllewinol, brown, rhad oedd yn llawer rhy fawr iddo fo. Sgidia oedd wedi eu cynllunio i edrych fel *brogues* ond eu bod nhw'n blastig a bod y patrwm sydd mewn *brogues* yn dyllau go iawn yn rhain. Chwistrellai'r dŵr allan drwy'r tyllau efo bob cam roedd Tukai'n 'i gymryd. Brasgamai'n hamddenol fel petai o'n falch o gael esgus i'w symud hi. Coesau hir, main, tywyll, tywyll heb unrhyw arlliw o'r cyhyrau trymion oedd wedi codi ar goesau'r rhan fwya ohonon ni wrth ymarfer at y daith. Ond, eto, hwn oedd y mwya ffit a'r cyflyma ohonon ni o ddigon.

Un cam ar y tro, ond bod rheiny'n fras ac yn gyflym ac yn galed bellach, i fyny, i fyny, i fyny. Dringo be fyddai wedi bod yn risiau naturiol o gerrig a chreigiau ychydig cyn hynny ond a oedd bellach yn nant fechan yn llifo'n wyllt. Roedd y glaw yn gyson a di-ildio yn chwipio'n cefnau ni a'n gyrru ni ymlaen. Sylweddolais yn o fuan nad oedd y gôt law yn dal dŵr – nid glaw fel hyn beth bynnag – a bod y sgidia oedd yn dal dŵr, gystal am ei ddal o i mewn ag oeddan nhw am ei gadw fo allan. Roedd hyn fel cerdded mewn pâr o welingtons.

Dringo, dringo, dringo, brasgamu'n galed. Teimlo'r galon yn curo a'r ysgyfaint yn gweithio. Canolbwyntio ar draed Tukai. Cam ar ôl cam ar ôl cam. Yn sydyn, roeddwn i'n meddwl am y gampfa, am y dosbarthiadau beicio, 'dychmygwch be sy'n eich disgwyl chi ar ben yr allt? Peint o lagyr oer? Cacen siocled? Blonden eich breuddwydion? Be fydd yna pan gyrhaeddwch chi? Gwthiwch. Gwthiwch. Gwthiwch. Daliwch ati. Daliwch ati.' Gwthio a dal ati a cherdded yn galed.

Roedd pump ohonon ni wedi hen adael y gweddill ar ôl. Gyrru mynd. Canolbwyntio ar bob un cam unigol. Anadlu i mewn. Anadlu allan. Ymlaen. I fyny. Traed Tukai yn dal i ddringo a'r glaw yn dal i chwipio a ninnau'n dal i fynd. Blinder a chyffro rhyfeddol yn gymysg. Ar gyfer hyn roedd rhywun wedi ymarfer, nid ar gyfer tro bach hamddenol yn yr haul, ond cerdded caled oedd yn tynnu ei benderfyniad o fêr yr esgyrn, oedd yn clirio llwybr drwy'r boen a'i gyffro fel trydan drwy'r blinder. Dal i fynd. Dringo, dringo, dringo, cam ar ôl cam ar ôl cam.

Cyrraedd y brig efo Tukai mewn pryd i droi rownd a gwenu ar y lleill oedd ddau neu dri cam y tu ôl i ni. Cerdded caled a fi oedd y cynta i gyrraedd. Nid bod 'na asgwrn cystadleuol yn 'y nghorff i wrth gwrs ond ar gyfer hyn roeddwn i wedi ymarfer.

"Byddwn i wedi cyrraedd o dy flaen di oni bai 'mod i'n cario pedair litr o ddŵr," meddai'r Cyn-Athro, oedd bellach wedi gadael y lori. Mae'n rhaid bod y creadur od yn gweld y cyfan fel rhyw fath o gystadleuaeth.

Aros yno yn cael ein gwynt atan a sylweddoli bod y glaw wedi peidio a'n bod ni'n wlyb at ein crwyn. Mae'n rhaid bod y lleng o gymylau wedi cael eu dal yn ôl gan y clogwyn. Roedd hi'n dal yn wlyb ond roedd y glaw chwipio wedi peidio. Sylweddoli bod y glaw wedi bod mor drwm ac mor gyson o'r un cyfeiriad nes bod yna streipen sych i lawr un goes 'y nhrowsus i. Welais i erioed y fath law. Teimlad braf o ryddhad ac egni. Gallwn i gerdded am byth.

"Hei! 'Drychwch – gafr!"

Roedd Connor wedi cyrraedd a doedd yr afr ddim yn saff. Cerddodd i fyny ati'n ara deg fel petai o'n barod i neidio ar gefn gelyn peryglus. A gweiddi "bw!" fel petai o'n dychryn plentyn. Mi drodd yr afr ei phen, edrych arno, cymryd un cam ymlaen, lledu ei choesau ôl a phiso'n braf.

"Piss off, Connor!" meddai'r afr a finna hefo'n gilydd, ond aeth Connor yn ei flaen.

"E! 'Di hyn ddim byd tebyg i fel roedd hi yn yr armi! Lawr am ddeg bois. Cym on! Cym on! Pres yps, cym on!" Newidiodd ei gân cyn *gwneud* unrhyw bres yps.

Tynnu'r gôt a mentro i lawr yr ochr arall. Sylweddoli ein bod ni wedi gwlychu lawn cymaint wrth chwysu ag oeddan ni wrth gerdded yn y glaw. Doedd yr haul ddim yn hir cyn perswadio'r cymylau i ildio'n dawel, fel mae ambell siaradwr yn mynnu tawelwch dim ond wrth syllu ar eu cynulleidfa. Yr un criw oedd yn cadw cwmni i Tukai eto ond bod yr hwyliau wedi 'sgafnu wrth i ni gerdded i lawr yr allt. Roedd Tukai wedi ymlacio peth hefyd.

Dangosodd gwt bychan i ni ac yn ei Saesneg toredig, ond

gyda balchder amlwg, eglurodd mai yno roedd o a'i wraig yn byw a'u bod nhw newydd gael mab bychan. Do'n i ddim wedi dychmygu bod Tukai yn ddigon hen i fod wedi priodi, heb sôn am fod yn dad. Roedd o'n edrych mor ifanc. Ond mae'n debyg ei fod o'n ifanc ac mai fi oedd yn ei fesur o wrth fy llinyn Cymreig i. Yn fan'ma, fi oedd yn od.

Daeth i gerdded wrth fy ochr a phwyntio at fy wats i efo golwg yn ei lygaid fel sydd yn llygaid plentyn mewn siop deganau. Roedd o wedi gweld rhywbeth roedd o'i isio. Gwneud fy ngorau i egluro iddo fynta yn fy Saesneg toredig inna 'mod i ei hangen hi ac nad oedd hi ar gael. Fawr o lwc. Edrychiad cyffrous, gwên wen a gafael yn 'y ngarddwrn i er mwyn cael chwara efo'r botymau ar y wats. Ymhen hir a hwyr, daeth gweddill y criw o rywle i dynnu sylw'r ddau ohonan ni.

Roedd y criw yn dilyn Tukai'n gwbl ddiamod. Pa lwybr bynnag roedd o'n ei dorri drwy'r coed drain a'r brwgais, roeddan ninnau'n dilyn. Hanner ffordd i lawr y llethr, trodd i'r chwith yn sydyn ac i'r chwith eto, ac eto, ac eto a ninnau'n dilyn nes i ni sylweddoli ei fod o wedi'n harwain ni i gerdded mewn cylch o gwmpas coeden a'i fod o'n glannau chwerthin am ben y praidd twp oedd ganddo fo i'w bugeilio. Chwarddodd pawb a sylweddoli ella nad oedd dim rhaid i ni ddilyn yn llythrennol yn ôl ei droed. Dangosodd y camp i ni yn y pellter ac fe fentron ni geisio dod o hyd iddo fo'n hunain.

Wrth ruthro rownd un bryncyn bach, aethon ni ar ein pennau i mewn i braidd o sebra. Sefyll yno am funudau mud yn gwylio'r anifeiliaid rhyfeddol yma oedd o fewn tafliad carreg i ni, pob un â'i streipiau unigryw sydd mor debyg rywsut i'n holion bysedd ninnau.

"Weheeei! Ma'r camp yn fan'cw – Faw'ty Ten'po'es, *here we come.* Tusker. Jyst un Tusker bach. Weheeei."

"Piss off, Connor," meddai'r sebra wrth garlamu i ffwrdd i rywle ychydig yn dawelach.

"Weheeei! Ma'r camp yn fan'cw – Faw'ty Ten'po'es, *here we come.* Dewch, bois – ffor hyn. Ffor hyn, bois."

Rhuthrodd Connor a Kylie i un cyfeiriad a rhedodd Sally, Beryl, William a finna i'r cyfeiriad arall a chyrraedd y camp o flaen y lleill dan weiddi a chwerthin a chan godi'n ffyn cerdded fel gwaywffyn. Roeddan ni fel golygfa o'r ffilm Zulu. Rhedeg a chyrraedd y pagoda o flaen pawb arall. Ddim bod 'na asgwrn cystadleuol...

Cawod, nap a swper yng nghwmni Henry a William *wet-wipes.* Ei throi hi am fy ngwely a'u gadael nhw'n siarad. Doeddwn i ddim yn clywed y Llundeinwyr digytsain pan o'n i'n eistedd wrth y bwrdd ond o'r babell dyna'r unig leisiau oedd yn mentro'n hyderus allan i'r tywyllwch. I gychwyn, dim ond Connor a'i ddatganiadau ailadroddus oedd i'w glywed ond o dipyn i beth roedd sgwrs Kylie a Sally a rhai o'r lleill yn dod yn fwy amlwg. Roeddan nhw'n siarad amdana i.

"Dim Aaawyn ydy 'i enw fo. ArrWEL." Sally oedd honno.

"*My God,* dwi wedi bod yn alw fo'n Aaaawyn ers dyddia." Kylie.

"Diawl, mae o'n ffit. O'n i'n cael trafferth dal i fyny efo fo." Martin y Cyn-Athro.

"A, gyda llaw, ddim fo oedd yn chwyrnu fel hipo –

roeddan ni drws nesa iddo fo neithiwr." William oedd hwnnw.

"Na, dwi'n gwybod. Shivaun 'di honno. Gewch chi weld y bydd hi'n dawelach heno – os na fyddwn ni'n 'i chlywed hi o Nairobi!" Datganiad rhesymol gan Shirley am unwaith.

"Wel, pam 'sa ti 'di deud yn gynt!" Sally.

"*God*, mi fydd rhaid i mi ddeud sori yn y bore. Aaawel. Nid Aaawyn. Aaaawel. Aaawel. *Ahh-well. Ahh-well.* 'Na i gofio hwnna rŵan!"

Gwrando ar hyn a meddwl y bydd fory yn ddiwrnod haws o lawer. Dim ond taith ar hyd y gwastadedd at Borth Uffern. Dim dringo.

At Borth Uffern

Mpanda ovyo, hula ovya
Mae'r sawl sy'n hau'n flêr yn bwyta'n flêr

"*Ahh-well*! Bore da, *Ahh-well*! Pam 'sa ti wedi 'nghywiro fi? Dwi 'di bod yn galw Aaawyn arnat ti ers dyddia."

Sut mae egluro i rywun nad oes fawr o ots gen i be maen nhw'n 'y ngalw i mewn gwirionedd, a bod gen i lysenw nad ydw i ddim yn mynd i'w rannu efo nhw p'run bynnag?

"Dim problem!"

Diwrnod byr ydy heddiw i fod. Gorffen cerddded erbyn cinio a phrynhawn o ddarllen, sgwennu a chysgu ryw chydig. Roedd deigryn yn dal i fod yn llygaid yr haul ers neithiwr felly roedd y tywydd yn berffaith ar gyfer y daith. Cychwyn yn weddol resymol, tua'r hanner awr wedi chwech 'ma, a cherddded i gyffiniau pentref Susua. Tre farchnad dlodaidd a rhyw olwg wedi blino arni, braidd yn flêr a braidd yn araf. Rhyw sgwâr wedi ei neilltuo ar gyfer y farchnad ond ei bod hi'n ymddangos mai ddoe roedd y farchnad. Eto i gyd, efallai mai fel hyn mae hi'n edrych bob dydd. Tair stondin o bob pedair yn wag a'r rhai oedd ar ôl yn gwerthu bananas brown a chrysau pêl-droed Man U. Un stondin ddifyr yn gwerthu sgidiau wedi eu gwneud o hen deiars car – difaru peidio â'u prynu unwaith roeddwn i wedi troi 'nghefn ac yn dal i fod o fewn cyrraedd iddyn nhw, ond roedd llesgedd y dre fel petai o wedi treiddio i mi. Cerdded i ffwrdd yn gwybod yn iawn y dylwn i fod wedi prynu pâr.

Rhyw ymgynnull dow-dow wrth y stondin Coke cyn cychwyn ar weddill y daith. Roedd y stondin cyn bwysiced â ffynnon y pentre a neb yn meddwl am eiliad ei bod hi'n edrych yn rhyfedd. Hel meddyliau fel hyn a meddwl mor fyr fyddai'r cofnod ar gyfer heddiw yn fy nyddiadur gan ei fod o'n mynd i fod yn ddiwrnod mor ddiddigwydd. Ymhen sbel, fe gychwynnodd ail hanner y daith i gyfeiriad y camp.

Roedd hon yn ffordd weddol brysur, gyda cheir, beiciau a beiciau modur, geifr, gwartheg a phlant yn mynd a dod, i gyd am y gorau i godi mwya o lwch. Ond yn sydyn fe ddiflannodd pawb, aeth hi'n dawel ac roedd hi fel petai rhywun wedi taflu petrol ar farwydos, a'r haul, a fu'n ddigon swil, yn ffyrnigo'n sydyn. Os oeddwn i'n edrych fel Lasarus y gwahanglwyf ddoe, roeddwn i'n edrych fel Laurence of Arabia erbyn hyn. Roeddwn i wedi llosgi 'nwylo a 'ngwar yn ddifrifol ddoe a heddiw roeddwn i wedi estyn sach cysgu cotwm a'i roi o am 'y mhen gan afael yn ei ben a'i gynffon o fel ei fod o'n cysgodi 'nwylo i run pryd. Ella 'mod i'n edrych yn dwp ond doeddwn i ddim yn llosgi. Ac fe allwn i fod wedi llosgi'n hawdd.

Roedd y ffordd allan o'r dre yn hir ac yn syth ac yn dilyn rhes o beilonau i gyfeiriad y bryniau oedd dan des ar y gorwel. Wrth ddechrau teimlo gwres yr haul, allwn i ddim peidio â meddwl am lyfr Ben Okri, *The Famished Road*. Mae'n rhaid gen i mai rhywbeth tebyg i hon oedd y ffordd honno. Afon lydan o lwch a thywod â'i llif yn cael ei gyrru gan ddilyw o haul poeth. Roedd pob dau gam ymlaen yn llithro un cam yn ôl wrth i wyneb llac y ffordd roi o dan draed. Cerdded ar chwarter cyflymder ddoe a gweithio'n llawer caletach. Diolch byth am y dŵr roeddwn i'n ei gario ar 'y nghefn mewn potel camel – sach plastig oedd â pheipan yn dod ohono fo dros fy ysgwydd i fel 'mod i'n medru yfed pan oedd angen – achos go brin y byddai rhywun wedi aros i estyn am botel yn y gwres yma.

Roedd y ffordd yn ddiddiwedd – bron nad oedd rhywun yn ei gweld hi'n mynd ymlaen ac ymlaen dros ymyl y gorwel hyd eithafion poeth cyfandir anferth Affrica. Dywedodd rhywun eu bod nhw wedi mesur y tymheredd a'i fod yn 47°C. Ro'n i bron hanner ffordd at ferwi ac yn dal i gerdded. Roedd y penderfyniad hwnnw, a fu'n llifo'n hael drwy fêr fy esgyrn i ddoe, wedi sychu'n ddim wrth i'r haul sefyll ar ei anterth uwch ein pennau ni ac wrth i 'nghysgod grebachu fel tawn i ar fin diflannu. Roedd fy enaid fel petai o wedi toddi'n bwll bychan o gwmpas 'y nhraed i.

'*Mad dogs and Englishmen go out in the mid-day sun*' – ac, wrth gwrs, os oes 'na Sais yno, rhaid i minna fod yno, ac yno o'i flaen o hefyd tae'n dod i hynny – ddim bod 'na asgwrn cystadleuol yn fy nghorff i! Roedd pob Keniad, mewn gwrthgyferbyniad, wedi aros ble bynnag roedd 'na gysgod, hyd yn oed os mai cysgod asgwrn o hen ddraenen oedd o. Roedd aros a gorwedd yn y man a'r lle yn gallach na cherdded yn y goelcerth o wres. Gorweddent yno'n gwenu'n dadol ar linell denau iawn o bobl wyn yn cerdded heibio. Un bob rhyw ugain llath yn canolbwyntio'n galed ar ei gerdded. Pob un yn ei ffordd ei hun piau ei gerdded ei hun oedd hi heddiw.

Doedd gwisg ffansi Laurence o Arabia ddim yn gwneud ei gwaith. Roedd o fel rhannu un cwrlid bychan tenau efo rhywun ar noson oer o aeaf. Roedd ceisio gwasgu rhywfaint o gynhesrwydd ohono fo yn gadael y person arall yn noeth ac yn oer. Pan fyddwn i'n tynnu un gornel o'r sach dros un llaw, roedd y llall yn cael ei dinoethi yn wyneb yr haul tanbeitia posibl, ac erbyn hyn roeddwn i'n poeni 'mod i'n llosgi go iawn. Chwysu a llosgi a baglu ar hyd y ffordd hira, sytha a phoetha ar wyneb daear.

Hon oedd y ffordd i Borth Uffern.

Ac, yn sydyn, roedd yno goeden. Anferth o goeden mewn mymryn o bant. Mae'n siŵr bod hon wedi gwreiddio yn y pant am fod hynny o ddŵr oedd i'w gael yn y fath le yn tyrru yno am gysgod a ninnau'n tyrru ati hithau am yr un rheswm. Roedd ei chysgod yn molchi rhywun, yn sychu 'nhalcen ac yn rhoi 'nhraed mewn powlenaid o ddŵr oer braf. Roedd ei chysgod yn nefolaidd a'r oerfel yn ffantastig – dim ond 38°C oedd hi dan y goeden. Eisteddai pawb yno yn berffaith dawel, yn ymwybodol eu bod nhw wedi cyflawni cryn gamp yn cyrraedd cyn belled ac yn ystyried o ddifri be oedd o'u blaenau. Roedd Shirley'n paldaruo ynglŷn â'r ffaith nad oedd y fath wres yn rhan o amodau'r daith ond doedd gan neb yr egni i wrando arni. Rhannai Henry a'r criw daffi a chreision gan ofalu bod poteli a sachau dŵr pawb yn llawn. O'n i'n ystyried bod taffi a chreision yn bethau rhyfedd i'w cynnig i bawb nes i rywun awgrymu ella eu bod nhw'n cyflawni'r un gwaith a'r diarolite – sef rhoi rhywfaint o siwgwr a halen yn ôl yn ein cyrff ni.

I ganol hyn oll, daeth un o dywysogion y Masaai. Bachgen tal mewn gwisg draddodiadol goch tywyll, gwallt wedi ei blethu, ac addurniadau lliwgar am ei wddw a'i arddyrnau. Eisteddodd lathen neu ddwy oddi wrthyn ni gan syllu arnan ni fel petai o bellteroedd byd. Eglurodd Tukai ei fod o ar ei flwyddyn brawf, ei flwyddyn allan, ei flwyddyn ar ei ben ei hun yn yr anialwch i brofi ei fod o'n ddyn. Ella mai rhyw brawf o ddewrder a gwroldeb oedd dod i eistedd at greaduriaid od fel ni. Fel roeddan ni'n codi ac yn cychwyn am Borth Uffern fe gyrhaeddodd cynffon y teithwyr ac fe gododd yr hogyn ifanc a gadael hefyd.

Wrth godi'n golygon i gyfeiriad Porth Uffern y clywson ni'r daran gynta. Ar ôl dweud ddoe bod y glawogydd yn gwbl annisgwyl a'u bod nhw fel arfer yn dechrau yn ystod wythnos gynta mis Ebrill, roedd Henry wedi'n rhybuddio ni y gallen nhw ddod yr un amser bob dydd am weddill y daith. Er ein bod ni wedi cael ein rhybuddio bod cryn bellter i fynd mae'n amlwg bod Henry yn gweithredu'r hen egwyddor o'n siomi ni ar yr ochr orau oherwydd roeddan ni yn y gwersyll cyn i ni droi. Roedd yr haul wedi boddi, y tywydd yn drymaidd a Phorth Uffern yn chwyrnu arnan ni fel hen gi blin, ac wrth i ni ddod yn nes roedd hi'n dechrau bwrw. Ond roedd hwn yn law gwahanol i law ddoe. Nid llen o law nad oedd modd ei osgoi oedd hwn ond diferion unigol, pob un fel pwcedaid o law, diferion caled yn cael eu pledu atan ni. Glaw roedd modd i'r rhai tenau ei osgoi.

Cyrraedd y gwersyll heb wlychu gormod. Cyrhaeddodd pawb yn ôl cyn i'r glaw mawr ddechrau. Ond pan ddaeth o fe ddaeth. Fel rhywun oedd wedi bod yn gollwng ambell ddeigryn ers amser ond yn methu â dal dim mwy ac yn beichio crio a'i ddagrau'n llifo'n swnllyd ac yn flêr.

Doedd y gwersyll ddim wedi ei gwblhau. Gadawyd y pebyll ar eu hanner a'r bagiau'n dwmpath wrth din y lori. Y gorchwyl cynta oedd symud y bagiau i mewn dan do'r pagoda. Wedyn, wrth i'r glaw gynyddu, y gwynt godi, y mellt danio, y taranau daranu ac wrth i'r dŵr lifo, mi fu'n rhaid codi'r bagiau oddi ar lawr a'u gosod ar ben y byrddau a'r cadeiriau. Roedd y storm fel petai hi'n eistedd ar ben y pagoda ac yn cael hwyl am ein pennau ni. Mellten un funud a tharan ar ei sodlau, mellten arall fel petai llafn o olau haul yn dianc drwy'r rhwyg roedd hi wedi ei chreu yn y cymylau, taran yn ein hysgwyd ni ac yn gwneud i rywun feddwl bod y ddaear am agor o dan ein traed. Y glaw yn dod o bob cyfeiriad ar unwaith fel glaw gwneud ar ffilm rad.

Roedd y llecyn bychan oedd i fod yn wersyll i ni yn llyn. Ar y llyn roedd deunaw o bebyll yn nofio fel hen gychod rhwyfo wedi rhyw hanner suddo ac yn bygwth hwylio i ffwrdd. Drwy ganol hyn i gyd, fe gerddodd dwsin o wartheg fel petaen nhw'n troi am adra i'w godro heb gymryd unrhyw sylw neilltuol o'r pebyll. Doedd dim pall ar y mellt, y taranau na'r gwynt a'r glaw ac roedd pawb yn dechrau sylweddoli y gallai pethau droi'n flêr. Roedd rhai yn dal yn eu trowsusau byr a chrysau-T ac ar ôl bore mor boeth yn dechrau oeri'n gyflym. Cafwyd paneidiau ac ambell frechdan ond roedd pawb yn sefyll mewn dŵr budur oer yng nghanol storm wyllt yn gwylio eu llety yn cael eu chwalu ac yn dechrau sylweddoli na fyddai'r tryciau'n gallu gadael yn y fath fwd i fynd â ni i westy, hyd yn oed petai 'na westy o fewn cyrraedd.

Ynghanol hyn oll, fe sylweddolodd rhywun ein bod ni un yn brin. Doedd dim sôn am Beryl. Doedd neb yn cofio'n iawn oeddan nhw wedi ei gweld hi ers i ni adael cysgod y goeden. Roedd rhywun yn amau ella eu bod nhw wedi ei gweld hi'n cyrraedd y gwersyll ac yn mynd ar ei

hunion i'w phabell. Ond er nad oedd y babell ond rhyw ddeng metr i ffwrdd roedd hi'n bwrw gormod a'r mellt yn rhy beryglus i neb allu rhedeg allan i weld. Doedd dim diben gweiddi, roedd y gwynt a'r taranau mor ffyrnig. Doedd dim amdani ond disgwyl i'r tywydd ostegu rhywfaint.

Wrth i ni ddisgwyl, roedd y tensiwn yn cynyddu o fewn y gwersyll. Roedd hi'n dechrau tywyllu ac roedd pobl yn dechrau amau'r gwaetha. Beth petaen ni ynghanol hwn drwy'r nos – dim cynfas uwch ein pennau, dim dillad sych, dim modd gadael? Y tu hwnt i'r taranau, y tu ôl i'r gwynt a'r glaw, o dan chwip y mellt, roedd sŵn arall yn dechrau cynyddu a chynyddu – sŵn pobl yn cwyno. Pobl yn poeni, pobl yn gweld bai, ambell un yn chwerthin yn nerfus, ambell un yn fud. Ond doedd pethau ddim yn dda ym mharadwys. Golchwyd y dyfrlliw tenau o fodlonrwydd a chwrteisi oedd yn dal deg ar hugain o ddieithriaid wrth ei gilydd yn un criw, gan amlygu gwir gymeriad pob unigolyn.

Wrth i'r storm ostegu, fe barodd y storm arall i gorddi ymysg y gwersyllwyr. Ymrannodd pawb yn dair carfan – y gweithredwyr, y cwynwyr a'r poenwyr. Aeth y gweithredwyr ati i adfer y pebyll a chlirio'r cerrig a'r brigau oddi ar y tir ychydig droedfeddi'n uwch gan symud y pebyll i fanno. Wrth wneud hyn daethpwyd o hyd i Beryl yn ei phabell. Pan soniodd rhywun wrthi ein bod ni wedi bod yn poeni amdani fe chwarddodd yn braf a dweud ei bod hi wedi mwynhau pob munud a'i bod hi wedi bod yn dychmygu ei bod yn Glastonbury. Unwaith y gwelodd Sally bod Beryl yn iawn aeth ati gyda gwên ar ei hwyneb i gasglu coed i wneud coelcerth ac i ddychwelyd eu sachau i bawb. Fe gydiodd y Llundeinwyr digytsain ynddi hi hefyd ar y cyfan – ysbryd y Blits yn dal i befrio, chwara teg. Ro'n i'n disgwyl i'r Fam Frenhines alw unrhyw funud!

Ond tra oedd un criw wrthi'n chwerthin ac yn helpu i ailosod y gwersyll, roedd 'na rhyw dro od yn llygaid Shirley ac roedd 'na rhyw ola ynddyn nhw fel petai'r holl fellt gawson ni wedi casglu yn ei llygaid ac aeth ei chwynion yn fwy ac yn fwy abswrd. I fod yn onest, dwi'n amau'n gryf a oedd gan Henry unrhyw gynlluniau brys i'n hachub rhag sefyllfa o'r fath, ond diolch byth fu mo'u hangen.

"Rhiad i ti fynd â ni o'ma."

"Galwa am helicopter."

"Trefna westy i ni."

"Mae gwartheg wedi cerdded dros y lle 'dan ni'n cysgu."

"Mae'r ddaear yn wlyb."

"Dwi ddim yn mynd i roi ceiniog yn rhagor o be dwi wedi gasglu at Mind ar ôl y ffiasgo yma. Dwi wedi deud, ma pob ceiniog yn mynd i'r Battersey Dogs Home."

"Oes gen ti yswiriant ar gyfer peth fel hyn?"

"Doedd y gwaith papur ddim yn sôn am dywydd gwlyb a stormydd."

Heblaw am Shirley, y rhai mwya llafar oedd y Cyn-Athro a'i griw. Roeddan nhw'n yn cwyno a chwyno. Yr union un ddylai fod wedi ei hyfforddi i ddelio ag argyfyngau yn cega a chega a chega nes ei fod o, wrth sefyll yn llonydd mewn dillad gwlyb, wedi oeri at fêr ei esgyrn. Rheolau sylfaenol aros yn fyw ydy cadw'n gynnes, nid cwyno. Roeddwn i hyd yn oed yn gwybod hynny. Bu'n rhaid lapio'r Cyn-Athro mewn planced a'i osod o flaen y tân roedd y criw wedi ei gynnau er mwyn coginio bwyd a gwneud rhagor o baneidiau. Yno y buodd o, yn lwmp diwerth, a'r hunan dyb a'r sicrwydd a oedd yn deillio o fod yn brofiadol wedi hen ddiflannu.

Ynghanol hyn oll, roedd 'na garfan hynod o dawel. Roedd rhain wedi dychryn, wedi poeni ac wedi eu taro'n fud gan yr hyn oedd wedi digwydd a'r hyn allasai fod wedi digwydd. Y mellt a'r taranau oedd bron â bod wedi'n taro ni a'r ffaith y bu bron yn rhaid i ni gysgu dan y sêr a hynny ar noson oer. Roeddan nhw'n syllu'n fud yn dychmygu bod popeth nad oedd wedi digwydd wedi digwydd, ac yn digwydd drosodd a throsodd yno o'n blaenau ni, ond nad oedd neb ond nhw'n ei weld. Mi gymerodd hi sbel go hir o flaen y goelcerth iddyn nhwytha ddadebru hefyd.

Daeth y bobl fud o hyd i'w tafodau. Gwrandawodd Henry ar y cwynion heb wylltio na thynnu neb i'w ben ac erbyn iddyn nhw orffen roedd y pebyll ar eu traed, y goelcerth wedi ei chynnau ac os nad oedd pawb yn hapus, o leia roedd ganddyn nhw do uwch eu pennau. Newidiodd pawb a gwisgo dillad sychion gan roi gweddill eu dillad sych mewn bagiau plastig i'w cadw rhag y stormydd mawr oedd yn siŵr o ddod yn ystod y nos yn ôl rhai. Daeth criw at ei gilydd o gwmpas y goelcerth i sychu sachau cysgu ac ambell ddilledyn ac o dipyn i beth fe fentrodd rhywun ddweud jôc. Cafwyd ambell chwerthiniad a bron nad oedd rhywun yn clywed yr helynt yn troi'n chwedl, a'r drychineb na fu yn troi'n antur. Pethau rhyfedd ydy pobl.

Daeth Shivaun adra o Nairobi jyst cyn swper. Roedd hi wedi cael tri daint dros dro, a oedd yn edrych llawn cystal â'i hen rai, ac er ei bod hi wedi cael eitha sgeg roedd hi'n benderfynol o gerdded yn y bore. Chwara teg iddi, mi fyddwn i ar yr awyren gynta'n ôl am adra tawn i wedi cael damwain o'r fath.

Cafwyd swper o gwmpas y tân a phleidlais o ddiolch diplomatig i'r dynion am lwyddo ailosod y pebyll a hwylio swper mor ddidrafferth. Wedyn fe ymddangosodd y dyn ifanc oedd wedi ymuno efo ni dan y goeden, efo hanner dwsin o'i ffrindiau. Os oedd dawnswyr y noson cynt yn dawnsio'n debyg i fel y byddwn i a'r hogia ar nos Sadwrn, roedd rhain wedi bod i Ysgol Glan Aethwy – yn cymryd eu gwaith o ddifri ac yn gwybod be oeddan nhw'n ei wneud. Mae'n amlwg bod eu blwyddyn brawf hefyd yn cynnwys sut i odro rhagor o bres allan o bobl wyn wirion.

Aeth pawb i'w gwlâu yn brydlon ac yn dawel heno, yn ddiolchgar bod gynnon ni wlâu i fynd iddyn nhw mae'n debyg. 'Diwrnod byr… gorffen cerdded erbyn cinio a phrynhawn o ddarllen, sgwennu a chysgu ryw chydig.' Os oedd hwn yn ddiwrnod tawel, a ninnau'n teithio tuag at Borth Uffern, tybed be fyddai gan fory i'w gynnig â ninnau'n teithio trwyddo fo?

Trwy Borth Uffern

Kujikwaa si kuanguka, bali ni kwenda mbele

Nid disgyn ydy baglu ond symud ymlaen

Hanner awr wedi chwech y bore a 'dan ni'n cerdded ar wely afon, mewn dyffryn llydan, rhwng clogwyni serth o graig streipiog. Dan ni'n cerdded ar wely'r afon ac mae'n amlwg o'r broc o ddeiliach a'r tonnau bychain o raean i'r afon fod yn ei gwely yn ddiweddar iawn. Dan ni'n cerdded ym Mhorth Uffern ar ôl deuddydd o lawogydd a phe digwyddai i'r deuddydd droi'n dridiau yna bydden ni'n rhannu'r gwely yma efo afon nwydwyllt. Y pella'n byd y byddwn ni'n cerdded, y tebyca bydd y gwely o droi o fod yn un dwbl i fod yn un sengl ac y bydd yr afon eisiau ei gwely iddi hi ei hun ac yn ein sgubo ni ohono fo. Ond mae

Henry'n hyderus y bydd popeth yn iawn… Mae Henry'n hyderus…

Cafwyd cyfarwyddiadau heddiw i beidio ag ymestyn y llinell o gerddwyr yn rhy denau gan fod y dyffryn yn llawn anifeiliaid gwyllt a chan nad oes ganddyn nhw ehangder y paith i ddewis ohono fo, maen nhw gymaint â hynny'n fwy tebygol o fentro i'n cyfeiriad ni. Gwelodd Tukai olion traed *gazelle* a byfflo, sy'n beryclach na'r un anifail arall, yn ôl Henry. Wn i ddim faint o wirionedd sydd yn hyn. Dwi'n dal i amau'i fod o'n chwyddo perygl, maint a phellter ar yr egwyddor bod caledi, sydd ddim yn cael ei wireddu, yn creu cyffro ac antur ac yn rhoi stori dda i'w hadrodd ar ôl mynd adra: 'Fe allwn i fod wedi cael fy mwyta gan lew… ond ches i ddim.'

Wrth droed y clogwyni, roedd stêm yn codi i'r awyr – yr un math o beth ag yr oeddan ni wedi ei weld droeon dros y dyddiau diwetha, ond ein bod ni y tro yma yn medru mynd atyn nhw. Mae'n debyg mai o'r tân ym mherfeddion y ddaear o dan Borth Uffern y mae'r stêm naturiol poetha'n y byd yn codi ac mae o'n cael ei ddefnyddio i gynhesu dŵr a chreu trydan mewn gorsaf ymhen y dyffryn. Mentro at ffynhonnell y stêm. Twll tua dwy droedfedd o led yn y graig a sŵn yn dod ohono fel tae bol y diafol ei hun yn corddi isio bwyd, fel sŵn peiriant golchi anferth. Ar yr wyneb, roedd tafod o fwd coch yn berwi ac anadl drewllyd y Gŵr Drwg ei hun yn codi efo'r stêm.

Digwyddai un o'r criw wybod rhyw gymaint am greigiau. Dangosodd ddarn o alphina i ni, y graig mae calon y ddaear wedi ei gwneud ohoni. Roedd y galon wedi toddi neu dorri yn ystod rhyw oes ac roedd hon wedi dod i'r wyneb – cneuen o risial mewn plisgyn o lafa. Creadigaeth berffaith – nid darn o rywbeth ond cyfanwaith, un graig o fewn y llall.

Roedd y clogwyni o'n cwmpas ni yn anghyffredin hefyd. Clogwyni mawr, urddasol, hynafol, ond gwahanol i greigiau Eryri, er enghraifft, sydd â'u prydferthwch yn eu cadernid oesol a'u hagrwch digyfnewid. Cadernid, parhad, cysondeb ydy rhinweddau ein mynyddoedd ni a'r rhinweddau yr edrychwn amdanyn nhw yn ein pobl. Ond yma, er bod rhyw hudoliaeth gyntefig yn perthyn i'r creigiau, maen nhw'n feddal. Yn yr ardal i'r gogledd o fan'ma y daeth Leakey o hyd i rai o'r sgerbydau hyna i'w darganfod erioed ac y daeth o hyd i olion dyn yn codi ar ei draed a cherddded am y tro cyntaf. Ond er bod yma hynafiaeth ryfeddol, does dim arwydd o'r styfnigrwydd hwnnw sy'n perthyn i henaint. Mae dynoliaeth yn dal yn grud, yn dal yn ifanc, yn newid ac yn creu. Mae'r creigiau mor feddal nes bod modd torri enw ynddyn nhw. Wrth weld y geiriau yn y graig, roeddwn i'n meddwl mai rhyw graffiti cyntefig oedd o nes i mi sylweddoli mai Jason, Kate a Jack oedd wedi bod yno. Craig feddal sydd yn siŵr o fod yn chwalu dan ffrwydradau'r glaw trwm ac yn cael ei hollti'n rhwydd gan ddannedd barus llif yr afon.

Mentro ymlaen ac i fyny, a'r clogwyni yn symud yn nes ac yn nes atan ni efo pob cam roeddan ni'n gymryd. Yn y diwedd, doedd dim lle ond i un ddringo ar y tro, a'r naill yn helpu'r llall i fyny'r creigiau llithrig a thros ffosydd dyfnion. Dau glogwyn trofaus a lled un person rhyngddyn nhw – dyma Borth Uffern. Roedd y clogwyni'n drwch o gydynnau hir o fwsog gwyrdd oedd yn lasach na'r adladd mwya brwd, a rhaeadr yn disgyn yn gawod drostyn nhw – yn gawod gynnes, cynhesach nag unrhyw gawod arall roeddan ni wedi ei chael yn Kenya. Dyma'r math o le y byddai rhywun yn disgwyl gweld merch ifanc noeth yn ffilmio hysbyseb shampŵ.

Droeon yn ystod y dyddiau diwetha 'ma dwi wedi meddwl amdanan ni fel praidd o anifeiliaid, i gyd yn debyg oherwydd lliw ein croen a'n crysau-T brown ond hefyd yn ymdebygu i braidd o ran ein natur. Mae'n siŵr bod yna wryw alffa a benyw alffa yn ein plith ni, rhai yn ifanc, rhai yn hen, rhai yn gloff, rhai yn cwna, rhai yn hela – pob elfen sy'n perthyn i braidd o unrhyw fath. Hyd yma, doeddan ni ddim wedi taro ar unrhyw braidd arall. Ond yma ym Mhorth Uffern, wrth lusgo ein hunain a'n gilydd i fyny a thrwy'r ceunant, fe ddaethon ni wyneb yn wyneb â bodau dynol eraill. Dyna lle'r oeddan ni yn s'nwyro'r awyr, yn moeli'n clustiau, yn cadw at ein llwybrau a chydnabod ein gilydd yn ffurfiol, nerfus a dirnad o hynny eu bod nhw'n Americanwyr, yn fyfyrwyr, yn gyfoethog. Dwy ferch brydferth iawn y byddai croeso iddyn nhw yn ein praidd ni a dau fachgen y byddai'n rhaid eu herlid a'u halltudio i goedwigoedd Susua. Cerdded heibio heb dynnu'n llygaid oddi arnyn nhw a heb ddweud fawr mwy na 'helo'.

Dringo drwy'r ceunant ac allan i olau dydd a sylweddoli ein bod ni wedi bod yn gweithio'n reit galed ond bod y golygfeydd gwahanol, oedd yn taro dyn bob canllath o'r daith drwy Borth Uffern, wedi tynnu'n sylw ni oddi ar ein blinder. Gorwedd yn yr haul wedi ymlâdd. Eto fyth, roedd yr hogia wedi cyrraedd o'n blaenau ni ac wedi paratoi cinio mewn cwt picnic oedd wedi ei adeiladu ar ben y dyffryn ar gyfer ymwelwyr. Dyma'r arwydd cynta i mi ei weld o fodolaeth diwydiant twristiaeth.

Dros ginio, roedd y cymylau'n casglu ac fe'n hatgoffwyd pa mor lwcus oeddan ni nad oedd y glawogydd wedi dod tra oeddan ni yn y ceunant yn ystod y bore. Cerdded trwy Barc Cenedlaethol Porth Uffern ond y tro hwn, gan fod ffordd fawr yn rhedeg drwy'r Parc, roedd y bws yn ein dilyn ni – unai i'n gwarchod ni rhag yr anifeiliaid gwyllt – neu'n debycach, er mwyn ein cysgodi ni rhag y glaw ac i arbed Henry rhag cael llond pen arall. Tro hamddenol a diflas.

Mynd heibio i adeilad oedd ar hanner ei godi a chael ar ddeall gan Henry mai ysgol saethu ar gyfer heddlu'r wlad oedd hi'n mynd i fod. Awgrymu wrtho fo ella bod mwy o beryg i ni gael ein taro gan fwledi strae na diodde ymosodiad gan anifeiliaid gwylltion. Cytunodd yntau ac egluro i mi ei fod o wedi gwrthod gadael i'r hogia oedd yn edrych ar ein holau ni gario gynnau. Do'n i ddim wedi deall, ond roedd yr hogia, yn ogystal â'n bwydo ni a symud y gwersyll bob dydd, yn ein gwarchod ni liw nos hefyd. Arallgyfeirio i'r Kukuya ydy gwarchod preiddiau o bobl wyn rhag y llewod a'r hiena, yn union fel maen nhw wedi gwarchod eu defaid a'u geifr ers milenia. Yn ôl profiad Henry, bob tro roedd gwn ar gael, yna'r person anghywir fyddai'n cael ei saethu a chan i'r Kukuya gadw'r anifeiliaid perycla draw ers canrifoedd efo cerrig a thân a gwaywffyn, llawn cystal iddyn nhw ddal ati.

Neidio ar y bws ar gyfer rhan ola'r daith i'r gwersyll ar lan llyn Naivasha, heibio i gannoedd o erwau o dai gwydr. Llyn o ddŵr croyw ydy Naivasha, yn wahanol i lawer o lynnoedd yr ardal sy'n llynnoedd soda, ac o'r herwydd mae modd ei ddefnyddio i ddyfrio llysiau, ffrwythau a blodau. Mae'n debyg bod blodau yn cael eu pigo yma yn y bore ac yn medru bod ar werth yn yr Iseldiroedd cyn nos.

Roedd hi'n amlwg bod y cwmni yn edrych ar ôl eu gweithwyr yn dda – roedd enw'r cwmni i'w weld ar yr ysgol, ar neuaddau pentra, yr ysbyty a'r tai. Fodd bynnag, ochr arall y geiniog oedd bod y cwmni yn difa'r hyn oedd yn cynnal eu busnes eu hunain, sef y llyn. Roeddan nhw'n tynnu cymaint o ddŵr o'r llyn nes bod ei lefel yn gostwng yn frawychus o sydyn ac ar yr un pryd yn golchi pob math o bryladdwyr a gwrtaith artiffisial i'r llyn nes bod lefel y cemegau ynddo fo yn amharu ar y bywyd gwyllt. Mae'n debyg bod llynnoedd eraill y medrai'r cwmni eu defnyddio, ond byddai'n costio mwy. Roedd peryg y gallen nhw droi'r lle'n anialwch amgylcheddol a chymdeithasol pe baen nhw'n gadael yr ardal. Wedi dweud hynny, mae ymgyrchoedd ar droed i geisio chwilio am gydbwysedd yn yr hafaliad anodd yma ac er eu bod nhw'n cael peth llwyddiant, fe allai lefel y llyn barhau i ostwng am ddeng neu bymtheng mlynedd arall.

Cyrraedd y gwersyll a gweld bod hwnnw'n wersyll go iawn y tro yma. Gwersyll pwrpasol ar lan llyn bendigedig, â glaswellt a daear wastad o dan draed, coed praff tal yn gysgod, a bloc o gawodydd awyr agored roedd stêm i'w weld yn codi ohonyn nhw o bell. Gwersyll gwyliau oedd hwn ac nid camp ar daith gerdded galed. Mae'n debyg mai Naivasha ydy un o'r cymunedau olaf o *wazungu* yn Kenya. Mae cymuned gref ohonyn nhw yma ac un arall yn Karen, y tu allan i Nairobi. Does dim ymdrech neilltuol i'w gwarchod nac i'w difa chwaith, trwy ryw drugaredd. *wazungu* ydy'r gair Swahili am berson gwyn.

Manteisio ar y cyfleusterau i'r eitha. Roedd cafn concrit a drych y tu allan i'r cawodydd. Dychryn o 'ngweld fy hun am y tro cynta ers dyddiau a sylweddoli cymaint o'r haul roeddwn i wedi ei ddal. Cael shêf – rhywbeth arall nad oeddwn i ddim wedi mentro'i gael ers dyddiau – a mentro i'r blychau pren, oedd â'u toeau ar agor i'r elfennau, ond gyda dŵr o bibell a hwnnw'n ddŵr poeth. Yng nghornel bella'r gwersyll roedd bwthyn bach taclus iawn yr olwg a hen wraig yn byw ynddo. Yn ogystal â thendio hanner dwsin o ieir a gwyddau ac ambell afr oedd ganddi, roedd hi'n tendio'r boelar a fyddai'n cynhesu dŵr y gawod. Dŵr o danc yn cael ei gynhesu gan dân agored oedd cyflenwad y cawodydd. Ac wrth i mi gau fy llygaid ac wrth i mi droi'r tap, pan oedd y dŵr rywle rhwng pen y gawod a 'mhen i, nes i sylweddoli na fyddai un tanc o ddŵr yn rhoi cawod foethus i ddeg ar hugain o gerddwyr. Fe darodd fi'n union ar yr un pryd ag y tarodd y dŵr iasoer fi. Doedd y gawod yma ddim yn mynd i fod yn boeth gan 'mod i rywle tua chynffon y ciw. Cawod oerach felly na'r un o'r cawodydd bagiau plastig ro'n i wedi'u cael yn ystod yr wythnos.

Cerdded draw i'r bar ar lan y llyn heibio i goeden yn llawn parots gwyllt ac un arall lle roedd mwnci mawr blewog du a gwyn, yn taflu brigau tuag atan ni wrth i ni grwydro heibio. Roedd y bar yn un go iawn, mewn adeilad, nid yn un lle roedd y poteli'n cael eu hestyn o cŵl bocs berwedig. Adeilad to gwellt agored nad oedd arno angen ffenestri, a phobl wyn wedi eu taenu dros y cadeiriau cyfforddus fel petaen nhw'n addurniadau egsotig. Hynodrwydd y llyn, ymysg pethau eraill, oedd ei fod o'n llawn hipos. Yn fuan ar ôl i ni eistedd a mwynhau ein cwrw fe grwydrodd un allan o'r llyn i bori ryw ganllath oddi wrthan ni. Sefyll yno'n gegrwth gan syllu ar un o'r petha rhyfedda i mi eu gweld erioed – rhywbeth eithriadol o hyll ond a oedd ar yr un pryd yn gwbl berffaith. I ganol yr olygfa yma, fe grwydrodd ci Jack Russell a dechrau arthio ar yr hipo a brathu ei sodlau. Ac er gwaetha holl faint a chryfder a ffyrnigrwydd yr hipo, fe symudodd i orchymyn y ci.

"*Winston. Heel, boy. Winston, come here. Leave the native animals alone, Winston.*"

Fe ufuddhaodd y ci i orchymyn ei feistr ac fe droeson ninnau at ein diodydd. Cyn pen dim roedd y sgwrs yn dilyn trywydd tebyg i:

"O, edrycha – hipo arall yn dod o'r llyn. Be gymeri di – cwrw ta g&t?"

Fawr o awydd swper heno. Cilio i 'mhabell i ddarllen cyn sylweddoli bod fy stumog i'n berwi fel bol y Gŵr Drwg yn ystod y prynhawn. Mi fyddai heddiw wedi bod yn ddiwrnod heb argyfwng nac antur – oni bai am yr antur o fynd yn ôl ac ymlaen i'r tŷ bach hanner dwsin o weithiau ar ras wyllt yn nyfnder nos a thrwy we o raffau pebyll ar ôl chwilota'r babell ddu am drowsus ac esgidiau a thortsh a phapur tŷ bach. Treulio'r noson rhwng y babell a'r tŷ bach yn poeni na fedrwn i gerdded yn y bore. Yfory ydy'r diwrnod ola, dydd Gŵyl Dewi. Mae'n rhaid cerdded yfory, ond ddim os bydda i'n teimlo fel hyn…

Gwisg genhinen yn dy gap...

Painamapo ndipo painukapo.

Lle mae'r allt yn rhedeg at i lawr, mae'n rhedeg at i fyny

"Sdwffia dy hun efo Imodium."

Wedi bod yn pendroni drwy'r nos a ddylwn i fynd ar y daith heddiw ai peidio. Ar y naill law, ro'n i'n teimlo fel petai fy holl egni wedi llifo allan ohona i yn ystod y nos. Wedyn ro'n i'n teimlo rheidrwydd i orffen, i beidio â boddi yn ymyl y lan. Roedd pobl eraill wedi diodda ac wedi cerdded doed a ddelo – un â phen-glin giami, un arall â phothelli. Ond un peth ydy dygymod â phoen, peth arall ydy'r embaras o gerdded yn diodda o ddolur rhydd. Cymerodd ambell un arall ddiwrnod o orffwys pan oedd eu stumogau nhw'n eu poeni – ond nid y diwrnod ola, does bosibl? Fyddai'r criw ar y daith gerdded ddim yn sylwi tawn i yno ai peidio – waeth gan rheiny amdana i, a fyddai neb yn gwybod adra. Ond byddwn i'n gwybod a byddai'n rhaid i mi gyfadda. Sut deimlad byddai mynd ati i roi arian nawdd pawb yn ôl iddyn nhw – 'Nes i bedwar diwrnod allan o bump – hoffech chi 20% o ddisgownt neu leciach chi'r cwbwl yn ôl?' Doeddwn i ddim isio mynd, ond doeddwn i ddim am wneud y penderfyniad fy hun. Byddai'n braf cael rhywun arall i ddweud, ''Na fo *Ahh-well* bach, aros di adra o fewn cyrraedd tŷ bach'. A'r ateb ges i oedd:

"Sdwffia dy hun efo Imodium… Dydyn nhw ddim yn gwella'r aflwydd ond maen nhw'n dy rwystro di rhag mynd i'r tŷ bach."

Felly dyma'i chychwyn hi am Longonot – ffydd yn un llaw a llond y llall o Imodium.

Dydd Gŵyl Dewi. Paciais genhinen a chenhinen bedr blastig wythnosau'n ôl a dyma'u hestyn nhw y bore 'ma. Sylwi ar ambell un yn sgyrnygu neu wenu'n nawddoglyd ond gwisgais fy nghenhinen yn amlwg ar fy nghap a theimlo gwraidd yr un yn fy nghalon yn gafael yn dynn.

Unwaith oeddan ni ar y lôn roedd Longonot i'w weld o'n blaenau yn glais uchel tywyll yng ngwyll y bore. Dyna'r nod, dyna'r diwedd. Wn i ddim ai nerfau neu'r salwch oedd yn gyfrifol ond rhoddodd fy stumog dro.

Daeth Martin, y Cyn-Athro, i eistedd wrth fy ochr ar y bws. Doedd ganddo fawr o sgwrs ac roedd o'n ochneidio a gwingo wrth wrando ar William yn trafod ei *wet-wipes* efo Shivaun.

"Wir yr. Maen nhw'n bethau defnyddiol iawn. Mi allwch chi eu defnyddio nhw i folchi pan fo dŵr yn brin ac maen nhw'n gallu gwneud i rywun deimlo'n ffres ac yn lân a chadw'r pryfaid draw."

Roedd o'n dechrau mynd i hwyl erbyn hyn a Martin yn mynd yn fwy ac yn fwy blin.

"Mae pob math o *wet-wipes* ar gael. Mae rhai â diheintydd ynddyn nhw, pwysig i sychu dwylo a rhwystro salwch rhag lledu ar ôl bod yn y tŷ bach. Ma rhai efo stwff i gadw pryfaid draw, ond mae yna rai i sychu pen-olau babis a rhai tynnu colur, rhai Oil of Ulay, Vidal Sassoon . . . Maen nhw i gyd gen i."

"Prat," sgyrnygodd Martin.

Cyrraedd porth Parc Cenedlaethol Longonot. Cwt a phorth a dwy giât anferth heb unrhyw wal o boptu – fel petai Castell Caernarfon wedi diflannu a gadael y porth yn sefyll wrth ymyl y cwt yn y maes parcio ar y cei. O fan'ma roedd gwastadedd eang yn codi'n raddol am ychydig ond wedyn fe fyddai'n rhaid dechrau dringo'n go galed. Hon felly oedd y llinell gychwyn am heddiw a llinell derfyn yr holl daith.

Cyn i ni droi, roeddan ni'n dringo. Roedd y mynydd fel pen hen wraig a ninnau'n dringo i fyny'r rhychau ar ei boch hi. Ffosydd dyfnion, lle roedd y dagrau poeth wedi powlio lai na chanrif a hanner yn ôl, rhychau roedd afonydd a cherddwyr fel ni wedi eu naddu'n ddyfnach bob blwyddyn ers hynny. Am y tro cynta ar y daith daethon ni ar draws olion ein rhywogaeth ein hunain. Nid yr olion naturiol mae pob anifail arall yn ei adael ar eu holau ond pacedi creision, poteli plastig a phapurau da-da yn dwmpathau fel plorod ar ruddiau hen wraig Longoont.

Cerdded am ryw awr a hanner yng ngwres hyfryd y bore cynnar ond trio cofio rhybuddion y bore bach bod hanner dwsin wedi methu ar ran hon y daith y llynedd ac wedi gorfod mynd i'r ysbyty yn diodda o effeithiau'r haul ac i gael adfer hylifau i'w cyrff. Cerdded a cherdded gan weld fawr ddim ond coesau a sgidiau: pâr bychan o sgidiau swêd gwyrdd a sanau gwyn am goes siapus; sgidiau mawr trymion a'r sanau uchel wedi llithro i lawr i ddangos y ffin rhwng lliw haul a llwch wythnos a bigwrn gwyn glân; sgidia a sanau a'u label yn cyhoeddi eu pris a'r bylchau yn yr edafedd yn bradychu eu gwerth.

Cerdded at ymyl y llosgfynydd â'r gwres yn cynyddu wrth i ni ddringo'n uwch ac yn uwch. Gweld, ar ôl cyrraedd, ein bod ni ar ymyl llosgfynydd traddodiadol. Crib gron o gylch powlen ddofn oedd mor llawn o goed nes ei bod hi'n edrych fel pen brocoli. Mae'n siŵr bod yno adar a rhai anifeiliaid llai ond go brin bod rhyw lawer o anifeiliaid mawr na llawer o bobl wedi mentro yno erioed. Soniodd Henry fod awyren wedi disgyn yno flwyddyn neu ddwy yn ôl ac nad oedd neb wedi goroesi. Dan goedwig tebyg i hon y byddai gelynion James Bond yn cuddio'u pencadlys – bron nad oeddwn i'n disgwyl i'r goedwig lithro i'r naill du ac i arf cosmig gwrth-gomiwnyddol godi fel rhyw daflegryn ffalig o'r llosgfynydd... I'r cyfeiriad arall, roedd miloedd ar filoedd o erwau o beithdir, ambell i goeden sylweddol fel cerrig milltir yma ac acw ac ar y gorwel, y llyn â'i erwau o dai gwydr fel barrug dros y tir berwedig.

Ar ôl i bawb gyrraedd y grib, cydnabod ei gilydd, cwyno am y gwres ac yfed eu dŵr, cyhoeddwyd tri munud o dawelwch, nid i gofio am neb ond i nodi'r ffaith ein bod ni'n tynnu at derfyn y daith ac i fyfyrio ar yr hyn oedd wedi ei gyflawni. Mae rhyw awydd yn y mwya bydol ohonon ni i chwilio am yr ysbrydol. A does dim dwywaith nad oes rhywbeth yn crwydro'r tawelwch sydd rhwng pobl a'i gilydd. Ni ellir ond dychmygu'r tawelwch sydd yn y llefydd prin hynny yn y byd lle mae'r distawrwydd yn berffaith. Oherwydd lle bynnag mae yna glust i wrando ar y perffeithrwydd hwnnw mae'n rhwym bod yno lais i'w chwalu. Mae 'na ryfeddod yn perthyn i unigolyn, sydd enaid yn enaid â thawelwch diderfyn. Ond mae yna drydan rhyfedd mewn torf dawel. Natur yn ei ogoniant a deg ar hugain o'r anifeiliaid mwya swnllyd ar wyneb daear Duw yn dawel, yn ymdrechu efo'i gilydd at dawelwch, yn gyrru crib fân eu clustiau dros ehangder o ddistawrwydd i chwilio am y man gwyn. Ar yr adegau hynny mae'r Tawelwch yn bod, fan draw, yn drydan, yn swigan o sebon, yn loyw dryloyw, bron yn weladwy, bron yn deimladwy, yn byw am eiliad ar y ffin rhwng bod a pheidio â bod yn y llanw magnetig hwnnw sydd rhwng dau neu dri neu dri deg o eneidiau cytun.

Ond rywle rhwng tri a phum munud mae hudoliaeth y tawelwch yn dechrau chwalu. Mae o fel rhaff yn cael ei dynnu'n dynn dynn dynn dynn nes 'dach chi'n chwilio am y ddihangfa yn hytrach na'r rhyfeddod. Mae'r meddwl yn dilyn y glust ac yn crwydro…

"God, dyna'r peth anodda dwi 'di neud erioed. Un Tusker i ddathlu, John? *Gooo-oon* – un Tusker bach i ddathlu…"

Mae'r rhaff yn torri ac mae'r Tawelwch ar ei din ar lawr fel tîm tynnu torch. Ond fe adawodd ôl ei draed yn y gwres ac roedd ambell un yn crio, Sally a Beryl yn cofleidio'n frwd a rhai eraill yn dal i eistedd yn dawel yn gwrthod gollwng gafael. Chwarddodd pawb pan ddywedodd rhywun eu bod nhw wedi recordio'r tawelwch ond mi fydd pawb am glywed y trac.

Amser codi a cherdded. Roedd crib gron y llosgfynydd fel llinell gráff yn codi ac yn gostwng ar ddalen lân yr awyr ac o'n blaenau roedd copa Mynydd Longonot, a choeden fechan yn goron ar y cyfan. Hwn fyddai uchafbwynt llythrennol y daith. Cychwyn yn yr un criwiau ag arfer. Dilyn Tukai yn ffyddlon. Os rhywbeth, roedd dilyn Tukai yn dreth. Mynnai aros bob dau funud. Roedd y cerdded yn galed ac roeddan ni'n dringo trwy ffosydd oedd cyn ddyfned â ni ein hunain a'r ddaear yn serth, yn llithrig ac yn llawn gwreiddiau. Un peth fyddai cerdded hwn yn fy mhwysau fy hun ond roedd ei gerdded ym mhwysau rhywun arall ganwaith caletach. Nid bod Tukai'n cerdded yn rhy gyflym ond ei fod o'n cerdded yn rhy araf. Gorfod cymeryd hanner camau yn lle camau llawn. Dal yn ôl er mwyn cael sbel o gerdded cyflymach ond dal y rhai o 'mlaen i mewn dim o dro a gorfod aros eto. Hyn i gyd oedd yn gwneud y daith i gopa Longonot yn galed ac yn anodd.

Cyrraedd y brig yn gynta a dathlu dechrau'r diwedd. Cofleidio a gweiddi a dathlu efo'r oren mwya blasus i mi ei gael erioed – gwobr fach gan Tukai am gyrraedd y copa. Wedyn tynnu'r Ddraig Goch o fy sach a'i gosod i ddiferu'n lliwgar oddi ar y ddraenen ar y copa. Fel ro'n i'n gorffen mi gyrhaeddodd Martin.

"Be ffwc 'di hwnna?"

"Wyt ti'n cymryd y piss?"

"Mae hynna jyst yn mynd yn rhy bell!"

Rhy bell? Tybed pam? Be oedd yn mynd yn 'rhy bell' ynglŷn â fi'n gosod baner fy ngwlad i ar gopa mynydd? Yr awgrym oedd yn pricio 'nghroen tenau i oedd bod fy niodda i am wythnos yn iawn ond bod rhoi baner fy ngwlad ar goeden ar gopa mynydd a'i gwthio hi i fyny eu trwynau nhw ar ddydd fy nawdd sant, ar benllanw eu taith *nhw*, yn mynd yn 'rhy bell'. Eu hatgoffa nhw'n garedig, er nad cystadleuaeth oedd y cerdded, mai fi oedd yno gynta a'u gwahodd nhw i gyd i gael tynnu eu lluniau efo fi o dan y faner pe baen nhw'n dymuno. Ymunodd Tukai efo fi ac fe ddaeth rhai o'r lleill hefyd yn y man. Ond tybed oedd y Ddraig wedi codi fel blip bychan ar eu *radar* nhw?

Ar y cyfan, dwi ddim yn credu eu bod nhw'n bod yn filain nac yn rhagfarnllyd; dwi'n credu 'mod i'n orsensitif ac yn disgwyl iddyn nhw wybod yn well. Rhaid i mi drio cofio bod y rhan fwya ohonyn nhw wedi eu magu o fewn gorwelion cul Llundain a phan fyddan nhw'n sôn yn dragwyddol am '*back home in England*', '*English money*', '*English roads*', '*English telly*' go brin eu bod nhw'n meddwl am ogledd Lloegr heb sôn am Gymru. '*For Wales see London*' ydy hi iddyn nhw a gan amla 'dan ni y tu hwnt i sylw, tu hwnt hyd yn oed i watwar a dirmyg... nes bod rhywun yn stwffio'r Ddraig Goch ar ddraenen bigog ar gopa mynydd i fyny eu trwynau nhw.

Plygu'r Ddraig yn ofalus a'i rhoi'n ôl yn fy sach, rhoi'r sach ar 'y nghefn a llusgo 'nghroen tenau chwyslyd i fyny'r mynydd reit wrth sodlau Tukai tra bod cynffon y cerddwyr yn dal i gyrraedd. Wrth i mi adael, clywed Henry'n eu holi nhw be oedd eu problem nhw efo'r Ddraig. "Y tro diwetha ro'n i yma," medda fo, "roedd y lle'n blastar ohonyn nhw." Mae'n debyg mai'r criw diwetha i Henry eu harwain i fyny oedd criw yn casglu arian at Hosbis Dewi Sant yng Nghasnewydd. Teimlo bod gen i gwmni yma wedi'r cwbwl.

Saith ohonon ni oedd yn arwain cymal ola'r daith: Tukai, Beryl, Sally, William, Martin a Shivaun. Y chwech yma a finna – dyna'r saith oedd erbyn hyn yn cerdded, â'r haul yn eu hwyliau, o gylch crib Longonot ac am i lawr. Y cerdded yn haws o lawer a'r sgwrs yn fywiog. Tynnu coes a betio ar sawl munud gymerai hi i ni gyrraedd yn ôl at y bwlch fyddai'n ein gollwng ni yn ôl i lawr y mynydd. Roeddan ni i gyd yn amcangyfrif deng munud, chwarter awr ond roedd y mynydd yn ein twyllo ni ac fe gymerodd yn nes at dri chwarter awr. Dyna'r fantais a'r anfantais o fod ar y blaen.

O leia roeddan ni'n medru twyllo'n hunain ein bod ni o fewn dim i'r terfyn. Byddai'r rhai oedd yn dilyn yn gwybod yn union pa sawl cam, pa sawl munud ac awr o waith caled oedd o'u blaenau nhw.

Cyrraedd y bwlch a Tukai'n mynnu ein bod ni'n aros am y lleill. Aros ac aros nes ein bod ni'n anniddig o orfod disgwyl cyhyd, cyn sylweddoli eu bod nhw wedi cymryd bwlch arall i lawr y mynydd. Roedd peryg y bydden nhw'n gorffen o'n blaenau ni – nid bod 'run ohonon ni'n cyfri'n hunain yn bobl gystadleuol wrth gwrs! Baglu a brasgamu nes ein bod ni fel nant o ddagrau bach gloyw yn powlio i lawr gruddiau'r hen wraig. Cyrraedd y llethrau tua throed y mynydd, gweld porth mawr y Parc Cenedlaethol ar ymyl y gwastadedd a sylweddoli, efo rhyddhad tawel, bod y lleill yn dal ar y llethrau uwch ein pennau.

Ymlacio a cherdded y filltir ola ar hyd y gwastadedd efo Sally. Gadael i'r pedwar arall gerdded ryw ychydig o'n blaenau ni. Trafod y daith, yr uchafbwyntiau a'r siomedigaethau, y profiad o gadw dyddiadur, o ddweud y gwir am be doeddan ni ddim yn ei fwynhau a phwy oeddan ni ddim yn dod ymlaen efo nhw. Ystyried pa mor falch oeddan ni ein bod ni wedi gorffen a pha mor lwcus oeddan ni o fod yn ddianaf. Oedd, roedd hi wedi bod yn her ond doeddwn i ddim wedi bod yn ddewr, do'n i ddim wedi fy anafu ac roedd yr Imodium wedi golygu nad oeddwn i wedi meddwl am helyntion neithiwr ers dechrau'r daith y bore 'ma.

Croesi'r llinell a chael croeso mawr, tynnu ein lluniau a chymeradwyaeth gan y criw a'r pump o gerddwyr nad oeddent wedi cerdded ar y diwrnod ola. Crwydro ar fy union yn ôl i gyfeiriad unigedd y paith. Teimlo'n rhyfeddol o emosiynol. Petai rhywun wedi siarad efo fi'r munud hwnnw byddwn i wedi beichio crio. Gosodais nod i mi fy hun na allwn i fod wedi breuddwydio am ei chyrraedd flwyddyn a hanner yn ôl, ac roeddwn i wedi llwyddo. Wedi llwyddo i gyflawni camp sy'n gyffredin i'r rhan fwya o bobl ond a oedd y tu hwnt i ddirnadaeth rhywun fel fi fyddai'n chwysu wrth godi i archebu peint beth amser yn ôl. Melys moes mwy.

Pedwar bws mini bychan gwyn oedd yn disgwyl i'n cario ni ar gymalau ola'r daith. Bws mini bychan oedd â lle i saith eistedd, pob un ohonon ni â lle wrth y ffenest, ac roedd rhan ganol y to yn agor ac yn codi – rhyw groes rhwng *camper van* a bws mini. Dyma'r math mwya cyffredin o gerbyd saffari. Oherwydd mae'n debyg mai dyna'r adloniant am y diwrnod ola 'ma – mynd ar saffari i wylio anifeiliaid gwylltion.

Roedd y daith gerdded drosodd, y cyfan wedi ei gyflawni, y nod wedi ei chyrraedd. Roeddwn i wedi mwynhau'r daith yn aruthrol, mwynhau llai ar y cwmni ond heb ffraeo efo neb. Dyna fo. Dwi wedi gwneud fy ngwaith a dwi bellach isio mwynhau fy hun – ond ddim yng nghwmni'r bobl hyn. Roedd hi bellach yn amser i mi gael mynd ar fy nhaith fy hun, ar fy mhen fy hun, cael llonydd, a phan byddwn i'n dewis cael cwmni pobl byddwn i'n dymuno cael eu cwmni nhw. Bodlonrwydd a chyffro ac anniddigrwydd i gyd yn gymysg – gorffen y daith gerdded, edrych ymlaen at wyliau, blinder ar ôl gorffen a rhwystredigaeth cyn cael mynd. Ond ddim yng nghwmni'r rhain. Roedd y praidd wedi ymrannu'n bedair corlan ac o'r pedair roedd y gorlan hon cystal â'r un ond pwy ddaeth i eistedd yn y cefn ata i ond Martin y Cyn-Athro.

"Be oedd dy blydi ffys di efo'r Ddraig 'na heddiw?"

"Mae'n ddydd Gŵyl Dewi, yn tydy! Bach o hwyl. Dathliad bach, dyna'r cwbwl."

"Dwi'n casáu Cymru."

"Wel, rhygtha chdi a fi, does gen i ddim llawer o feddwl o Loegar chwaith ond 'mod i'n meddwl ei fod o'n fwy cwrtais i'w gadw fo i mi fy hun." Neu, o'i gyfieithu: iacha 'i groen croen cachgi.

"Blydi rybish. Fyddech chi ddim yn unlle hebddan ni. Dach chi wastad yn troi atan ni pan dach chi isio rhwbath beth bynnag."

A chyn i mi ateb aeth yn ei flaen i egluro'r cwbl…

"Mae Dad yn dod o Gymru. O Gaerwedros. Ro'n i wastad yn gorfod mynd i weld mam-gu ar 'y ngwyliau. Roedd Dad wastad yn gwneud i mi wylio'r blydi rygbi pan oedd Cymru'n curo yn y saith degau. 'Di o ddim mor cîn erbyn hyn."

"A! Ail genhedlaeth *ex-pat*!"

"Sais ydw i. A dwi'n falch o hynny."

"Gwylia di na fydd dy blant di yn landio acw yn y Llyfrgell Genedlaethol yn chwilio am eu gwreiddiau Cymreig."

Anelu am Barc Cenedlaethol Llyn Nakuru â'r ddau ohonan ni'n syllu allan o'n ffenestri ein hunain i gyfeiriadau cwbl wahanol.

Teithio'n ôl ar hyd y ffyrdd dychrynllyd a heibio'r tai gwydr unffurf i gyfeiriad y Parc. O bell, roedd hi fel petai'r llyn yn llawn milc-shêc mefus a bod ewyn pinc wedi ei adael hyd y glannau wrth i'r haul lowcio'r dŵr. Dyna sut roedd y miloedd ar filoedd o fflamingos yn edrych o bellter bws. Tes lledrithiol ar wyneb y dŵr. O yrru tuag atyn nhw, roeddan nhw i'w gweld yn goedwig liwgar o goesau a gyddfau ac ambell ddyrnaid ohonyn nhw'n codi ac yn disgyn yn eu tro fel petai tonnau'r llyn yn sgubo trwyddyn nhw. O yrru yn nes fyth a mentro allan o'n cerbydau, roeddan nhw'n drewi. Drewdod miloedd o adar yn sefyll ar lan bas y llyn a'u plu a'u tail yn blastar o dan draed. Ond doedd dim dwywaith nad oedden ni ym mhresenoldeb un o ryfeddodau naturiol mawr y byd – ond ei fod o'n drewi.

Cymryd mantais llawn o'n cyfle i gerdded, achos yn ôl yr arwyddion, doedd dim hawl cerdded yn y parc oherwydd bod cymaint o anifeiliaid gwyllt o gwmpas. Gyrru drwy'r parc am rai oriau. I'r Cyn-Athro-*Ex-Pat*, dyma uchafbwynt y daith.

"Dyna pam dwi yma. I weld y pethau yma. Maen nhw'n anhygoel. 'Sgen i fawr o ddiddordeb yn y blydi busnes Mind 'ma. Ond mae o'n saffari ffantastig o rad," medda fo, gan estyn am ei gamra.

Roedd rhaid i mi, ar y llaw arall, gyfadda 'mod i'n Philistiad llwyr ym myd anifeiliaid. Roeddwn i'n gwerthfawrogi rhyw ychydig oriau o gael fy lluchio'n ôl a blaen yng nghefn rhyw fersiwn dyn tlawd o'r Pope Mobile – rhyw Fynach Mobile – er mwyn cael gweld yr holl anifeiliaid prin 'ma, ond roedd meddwl am wneud hyn am wythnos a rhagor y tu hwnt i mi. Dyna'r rhyfyg penna i rai o 'nghyd-deithwyr.

Ella nad oeddan ni'n cael cerdded yn y parc oherwydd bygythiad yr anifeiliaid ond roeddan ni'n cael cysgu yno. Llwyddodd y gyrrwr i gyrraedd y lle roedd y camp wedi ei osod ynghanol rhyw ychydig o goed. Eglurodd Henry, ar ôl i ni gyrraedd, bod y bygythiad heno yn un real iawn ac o'r herwydd bod y camp wedi ei osod mewn ffordd arbennig a'r pebyll mewn cylch a'r tai bach, y cawodydd, y pagoda a'r cerbydau'n ffurfio cylch allanol. Roeddwn i'n amau bod hyn eto yn un o'i ffyrdd o estyn y bygythiad er mwyn gwneud yr antur yn fwy nes i mi sylweddoli bod y staff, oedd wedi ymneilltuo i ryw gymaint o breifatrwydd ym mhob camp arall, wedi ymuno efo ni yn y cylch canol.

Unwaith roeddan ni wedi dadlwytho'n bagiau, dyma'r si ar led yn dweud wrthan ni am fod yn dawel. Mae'n debyg bod y gwersyll wedi ei osod dafliad carreg, yn llythrennol, oddi wrth bwll dŵr, ac wrth reswm, bod anifeiliaid yn dod yno am ddiod. Wrth i ni sefyll yn stond, dyma dri jiráff yn nesáu'n betrus, gyda chamau oedd yn od o fyr i anifail mor heglog. Daeth y cynta at y pwll a lledu'i goesau blaen cyn belled ag aen nhw a phlygu ei ben nes cyrraedd y llawr gan edrych fel rhyw dripod anferth yn estyn am ddiod o ddŵr. Dyma'r anifeiliaid prydfertha, mwya arallfydol i mi eu gweld erioed. Un anifail sydd ddim ar batrwm unrhyw anifail arall rywsut, gosgeiddig a breuddwydiol a chythreulig o beryglus. Dyna pam mai nhw oedd yn cael blaenoriaeth wrth y pwll; doedd y byfflo hyd yn oed ddim am fentro o fewn cyrraedd cic y jiráff. Ond unwaith roedd o wedi cael ei wala, aeth dau neu dri byfflo ati i yfed. Roedd pob un ohonon ni'n sefyll tu ôl i goeden neu babell yn gwylio hyn, oni bai am Shirley oedd wedi dringo i ben coeden i gael gwell golygfa – er, petai'r byfflo yn dod yn ddigon agos ati a gweld yr olwg yn ei llygaid hi, dwi'n meddwl mai nhw fyddai'n rhedeg nid hi.

Unwaith y gwelais i'r byfflo fedrwn i ddim peidio â chwerthin achos welais i ddim byd tebycach erioed i Anne Widdecombe – cyn iddi droi'n flondan wrth reswm. Anifail mawr llydan, tywyll, heb fod yn rhy dal a hen wyneb plaen, trwm, a chyrn a chlustiau yn disgyn fel rhyw fop o wallt llegach o'i gwmpas o. Llygaid llywath yr olwg, ond y tu ôl iddyn nhw roedd perygl, cryfder a phenderfyniad i redeg llwybr tarw trwy unrhyw gamp o ddieithriaid oedd yn mentro i'w gwlad nhw. Byddwn i'n taro ar lu ohonyn nhw eto ond preiddiau o Anne Widdecombiaid fyddwn i'n eu gweld bob tro.

Mentrodd sebra at y dŵr hefyd – ond roeddan ni wedi gweld miloedd o rheiny erbyn hyn.

Hon oedd ein noson ola ni yn y camp a phawb wedi ymlacio ryw gymaint ar ôl cwblhau'r daith. Sgwrsio a malu awyr efo hwn a'r llall ynglŷn â be oedd yn digwydd fory a lle roeddwn i'n mynd wedyn. Egluro y byddwn i'n aros efo ewyrth i ffrind i mi yn Nairobi a theithio wedyn, am ryw bythefnos neu dair wythnos, i gyfeiriad yr arfordir. Un neu ddau arall yn aros ymlaen hefyd. Pawb arall yn cwyno ynglŷn â'r daith yn dod i ben – megis cychwyn oedd hi i mi. Cael y sgwrs ryfedda efo Henry, y boi yma oedd yn dod o berfeddion Lloegr yn rhywle ac yn crwydro'r byd yn trefnu teithiau fel hyn.

"O Aberystwyth rwyt ti'n dod, yn te?"

"Ia." meddwn innau.

"Mae gen i ffrind yn byw heb fod yn bell o Aber."

"O," meddwn innau. "Yn lle, felly?"

"Clanffarian neu rywle felly. Mae o'n cadw gwartheg godro."

"Digon posibl 'mod i'n ei nabod o. Ond dwi'n un sâl efo enwau."

"Wel, dwi'n cofio bod yno ryw dro. Cyrraedd mewn siwt wen yn barod i fynd allan a gorfod ei helpu i symud y gwartheg godro o un cae i'r llall."

Allwn i ddychmygu Henry yn ei siwt saffari yng nghefn gwlad Ceredigion.

"Beth bynnag, aeth y gwartheg y ffordd rong. Roeddan nhw ymhob man gen i. Do'n i ddim yn gwybod be i wneud. Yna, daeth rhyw ddyn heibio a gofyn oeddwn i isio help. Nes inna dderbyn a dyma fo'n dweud, 'neidia ar fonet y Landrover ac mi awn ni ar eu holau nhw'. Ella dy fod ti'n ei nabod o? Dai rhywbeth?"

"Lot ohonyn nhw mewn bod!"

"Jones, ella? Mae'n debyg bod y boi yn eitha enwog yng Nghymru."

Roeddwn i'n eistedd yng nghanol anialdir gwyllt Affrica yn siarad efo *yuppie* cefnog o Lundain oedd wedi cael reid ar fonet Landrover Dai Jones Llanilar – pwy all byth ddweud nad ydy'r byd yn fach?

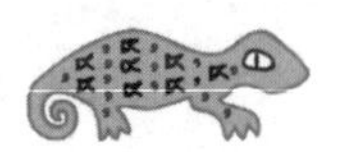

Roedd hwyliau da ar bawb, y bwyd wedi ei fwyta, llechen y bar – oedd wedi bod yn llenwi yn ystod yr wythnos – wedi ei sgwrio'n lân, a'r criw a fu'n gofalu ar ein holau wedi bod wrthi'n canu. Wrth gwrs, fe ddechreuodd yr un hen diwn gron a'r Llundeinwyr yn mynnu 'mod i'n canu a finna'n mynnu na fedrwn i ddim hyd yn oed taswn i isio. Doedd dim taw arnyn nhw ond roeddwn i wedi styfnigo ers dros wythnos. Fe ddaeth gwaredigaeth achos fe ddechreuodd un ohonyn nhw ganu y Galon Lân Seisnig:

Swiiiing loooow sweeeet chaaaar-iii-yy –t,
Coming for to carry me hoooome.
Swiiiing loooow sweeeet chaaaar-iii-yy –t,
Coming for to carry me hoooome.
Swiiiing loooow sweeeet chaaaar-iii-yy –t,
Coming for to carry me hoooome.

Wrth gwrs, fel ninnau, dim ond un pennill oeddan nhw'i wybod o'u hoff gân ond roeddwn i'n gwybod cytgan nad oeddan nhw'n ei wybod:

You can stuff your blincin chariot where it hurts,
You can stuff your blincin chariot where it hurts,

You can stuff your blincin chariot,
Stuff your blincin chariot,
You can stuff your blincin chariot where it hurts.

Neu rhyw aralleiriad nid annhebyg i hwnna, a hynny'n ddigon twt os ca i ddeud, ar dôn Stemar Mari Bifan. Roedd y gynulleidfa'n gegrwth syn, fel petawn i wedi canu deuawd y pysgotwyr perl yn berffaith ar 'y mhen fy hun bach. Doeddan nhw erioed wedi clywed y fath beth. Os nad oedd eu radar nhw'n gweld Cymru, doedd eu hoffer clustfeinio nhw erioed wedi clywed ein cytgan ni i'w hanthem rygbi nhw chwaith. A dyna fi wedi canu a chau eu cegau nhw mewn un tro twt.

Ches i ddim *encore*.

Fe chwalwyd y tawelwch a ddilynodd fy unawd i gan ryw ocheneidiau dyfnion. Awgrymodd rhywun mai'r byfflo oedd yn brefu. Mynnodd Henry mai llewod oedd yn chwyrnu. *Stretch* gwrach, meddwn inna. Ymhen hir a hwyr, fe ddechreuodd pobl fynd am eu gwlâu ond roeddwn i mewn hwyliau ac yn benderfynol o ymddwyn yn debycach i mi fy hun a bod yr ola i 'ngwely. Roedd Henry'n reit siŵr mai llewod oedd yn cadw sŵn ac yn mynnu mai'r amser yma o'r flwyddyn oedd yr amser perycla ar gyfer llewod. Yn ei ôl o, maen nhw'n anifeiliaid reit ddiog a'r ffordd orau ganddyn nhw o ddal eu bwyd ydy drwy guddio yn y gwair a gadael i'r bwyd ddod atyn nhw. Yn anffodus, mae'r gwair yn brin iawn yn union cyn y cyfnod gwlyb fel hyn ac mae'n haws gweld y llewod, felly mae'r anifeiliaid yn cadw draw ac o'r herwydd mae'r cathod mawr ar eu cythlwng. 'Dan ninnau fel deg ar hugain o brydau parod wedi ein pacio mewn pebyll glas wedi eu gosod ar y bwrdd o'u blaenau nhw – hyd yn oed wedi eu crasu yn yr haul ers wythnos. Roedd 'na bedwar neu bump ohonon ni ar ôl tua un y bore a'r siarad a'r clustfeinio yn ein corddi ni i gyd yn saith gwaeth.

"Ust! Gwranda! Be oedd hwnna?"

"Byfflo."

"Na – llew."

"Paid â bod yn wirion."

"Dwi'n deud wrthat ti."

"Dwi'n mynd i ofyn i'r porthor nos." A dyna lle'r aeth Beryl.

Daeth yn ôl fel y galchen. Roedd y coelcerthi oedd yno i'n gwarchod ni yn farwydos coch a'n bugeiliaid ni a'r criw oedd i fod allan yn ein gwarchod ni i gyd yn cysgu ar bennau'i gilydd yn un o'r loriau. Roedd hyd yn oed y meddyg, oedd wedi ei hyfforddi i arwain pobl ar saffari, i'w gweld yn poeni. Cuddiodd Beryl tu ôl i un o'r faniau – fel tae hynny'n gwneud gwahaniaeth i lew llwglyd. Aeth pawb i'w pebyll. Ac mae'n dda gen i ddweud mai fi oedd yr ola. Disgyn i gysgu gan wrando'n astud i weld a allwn i wahaniaethu rhwng llew a byfflo.

Brechdan grocodeil plîs...

Subrina ni ufunguo wa faraja

Amynedd yw cyfrinach bodlonrwydd

Deffro. Neidio. A throi 90° yn yr awyr cyn bod fy llygaid i led y pen ar agor. Nid bod agor fy llygaid led y pen yn y tywyllwch, heb sbectol, yn cyfrannu dim at y sefyllfa. Clustfeinio. Sylweddoli ymhen rhai eiliadau ar be'n union ro'n i'n gwrando. Roedd rhyw anifail yn codi'i goes fodfeddi i ffwrdd o 'nghlust i. Diolch byth am y babell. Roedd o fel gwrando ar rywun yn tynnu peint o gwrw traddodiadol – llif gwyllt yn taro ochr y babell, wedyn distawrwydd tra roedd o'n llenwi ar gyfer y llif nesa. Digwyddodd hyn tua thair gwaith. Marcio'i diriogaeth. Dewis ei babell. Penderfynu ar ei wledd. 'Fi pia fan'ma. Fi pia hwn. Mymryn o Gymro gwydn i frecwast heddiw, dwi'n meddwl.' Gorwedd yno am dragwyddoldeb yn dychmygu pa fath o anifail fyddai'n gwneud hynny.

Fyddai byfflo ddim mor ddeheuig – a beth bynnag maen nhw'n llysieuwyr. Mae hynny'n gadael yr hiena a'r llew. Disgwyl i rywun arall faeddu'i bawennau mae'r hiena ac wedyn manteisio ar friwsion y wledd. Oedd yna lew newydd fod yn y gwersyll yn marcio'i diriogaeth fel tae o'n bwrw golwg dros ryw fwffe mawr, ac wedi penderfynu ei fod o'n mynd i 'mhentyrru i ar ei blât? Gorwedd yno heb syniad yn y byd faint o'r gloch oedd hi nac am ba hyd y bûm i'n effro ond mae'n rhaid 'mod i wedi cysgu oherwydd nes i neidio'n effro eto ymhen hir a hwyr wrth i Henry weiddi i godi'r gwersyll o'i drwmgwsg am y tro ola.

Pentyrru i mewn i'r cerbydau a mynd ar fymryn o saffari ar y ffordd yn ôl i Nairobi. Hyd yn oed i Philistiad bywyd gwyllt fel fi roedd y golygfeydd yn rhyfeddol. Anifeiliaid o bob math ym mhob man ac i bob cyfeiriad. Y jacal yn osgeiddig, hyderus a gofalus, yn ddi-hid o'i gynulleidfa ond yn camu'n fân ar flaenau'i bawennau yn barod i neidio a newid cyfeiriad mewn blewyn o eiliad. Yr antelops – yr impala a'r gazelle – mor gyflym ac ysgafndroed nes eu bod nhw'n ymddangos fel petaen nhw'n rhedeg droedfedd neu ddwy oddi ar y llawr, yn ymylu ar hedfan. Y lleia o'r rhain oedd y dic-dic: rhyw droedfedd dda o daldra ar y mwya, un bychan mwy llwydaidd na'r lleill a chan ei fod o wedi addasu cystal i'w amgylchedd sych dydy o ddim yn yfed. Dim ei fod o'n ymwrthod â chwrw Tusker, ond mae o'n cael hynny o leithder mae o'i angen o'r bwyd mae o'n ei fwyta.

Wedyn, fe ddaeth y twrch trwyth i fusnesu. *Warthog* ydy'r enw Saesneg, ond dwi'n siŵr bod hwn yn ateb i'r enw Twrch Trwyth ganrifoedd cyn i neb ei lysenwi o'n *warthog*, nac yn *phacochoerus aethiopicus* tae'n dod i hynny. Ella bod Arthur wedi ei golli o pan aeth o i'r môr yng Nghernyw ond dwi wedi dod o hyd iddo fo. Mae o yma yn Kenya. Creadur ffyrnig iawn yr olwg â dau bâr o gyrn miniog, fel crib a gwellau, yn ymgordeddu am ei drwyn llydan. Tybed be fyddai'n digwydd tawn i'n cael gafael ar y grib a'r gwellau? Fyddwn i'n dychwelyd i Gymru fel Arthur wedi'i ddeffro?

"Llew!"

"Lle?"

"Fan'na!"

"'Drycha!"

Ro'n i'n edrych ac yn edrych. Mynnai Tukai bod llew mewn coeden heb fod ymhell – un llew mewn un goeden ymhlith degau o goed.

"Fan'na!"

Ar ôl syllu drwy'r sbienddrych nes llosgi tyllau ynddo fo bron, fe ddechreuodd pobl sylwi. Fel pob cath, mae'r llew yn medru bod yn beryg bywyd, ond gan amla maen nhw'n eithriadol o ddiog. Roedd hwn wedi taflu ei hun fel rhyw hen sach ar goeden. Gorweddai'n llipa yn y fforch rhwng dwy gangen. Gallasai fod wedi bod yn hen garthen oedd gan Henry o flaen y tân a Tukai wedi ei gosod yn y goeden er mwyn i ni gael dweud ein bod wedi gweld llew. Ond mi gymerwn ni air yr hen Tukai a dweud ein bod wedi gweld un a maddau iddo fo am beidio â bod ar ei orau amser brecwast fel hyn. Tybed ai hwn alwodd acw neithiwr? Tyff – dwi wedi codi o dy flaen di, mêt.

Gweld rhino o bell a theimlo fel y person cynta i weld deinasor yn Jurassic Park. Tunelli o gryfder pur, ei groen fel tarian amdano, ei lygaid yn ddall yr olwg ond bod ei glustiau'n eithriadol o effro ac yn barod i droi'r waywffon anferth yna sydd ar flaen ei drwyn i gyfeiriad unrhyw fygythiad. Teimlo'n fwy cyfforddus o fod yn edrych ar y deinasor yma o bellter, diolch yn fawr.

Gyrru heibio i ryfeddod y jiráff, patrymau unigryw'r sebra, bygythiadau tywyll Anne Widdecombe, cwmwl o fflamingos, ac, o dipyn i beth, fe drodd yr ehangder yn llwybr, y llwybr yn ffordd bridd, y pridd yn goncrit, a'r concrit yn darmac – ac mewn dim o dro roeddan ni'n gwibio am Nairobi a'r cylch bron â bod yn gyflawn.

Ar gyrion y ddinas, fe arhosodd y pedwar bws mewn siop er mwyn i ni allu prynu ychydig o anrhegion traddodiadol i fynd â nhw adre efo ni. Siop ffatri oedd hon. Cyfanwerthwyr rhyfeddol. Erw sgwâr o sied dywyll boeth yn llawn dop o ryfelwyr Masaai â'u gwaywffyn hir, gwragedd Kukyu lluniaidd, noeth, hen ddynion hysbys y llwythi yn troi crochan ffawd, dawnswyr gwallgo, ymladdwyr ffyrnig, ac, yma ac acw, braidd o jiráff tal neu lwmp o hipo llonydd. Prysurdeb stond, heb ddafn o chwys, a llwch lle gallai sglein fod. Dyma gronfa'r crefftau traddodiadol roeddan ni wedi cael eu cynnig bob cam o'r ffordd dros yr wythnos ddiwetha. Cannoedd o wahanol bethau a channoedd o bob un. Prynu a dadlau'n daer am y pris, gan wybod bron i sicrwydd y gallwn brynu popeth yn siop Ffred Ffransis yn Aberystwyth ac, os oeddwn i'n llwyddo i ddadlau a gostwng y pris i lawr i'r chwarter, pa fath o bris roedd Ffred yn ei flino allan ohonyn nhw? Ta waeth, mae lle mae rhywun yn prynu rhywbeth lawn cyn bwysiced â'r hyn ydy o. Am wn i.

Gyrru ymlaen i gyfeiriad Nairobi, a diwedd y daith yn nesau. Nairobi ydy ail ddinas Affrica. Y ddinas fwya, gyfoethoca a pherycla ar ôl Johannasberg. Arwydd o'i llwyddiant ydy bod y canol yn brolio holl ryfeddodau dinas orllewinol – y siopau a'r cwmnïau a'r bensaernïaeth fyddai rhywun yn ei ddisgwyl yng Nghaerdydd, Paris neu Efrog Newydd. Arwydd arall o'i llwyddiant wrth gwrs ydy ei thlodi. Oherwydd, fel môr am ynys, mae'r tlodion yn tyrru yma ac yn breuddwydio am yr aur sydd dan y palmentydd pridd. Milltiroedd o drefi sianti yn amgylchynu sgwaryn o lwyddiant concrit. Tai blêr ar sgiw, wedi eu taflu at ei gilydd fel petaen nhw wedi eu cynllunio gan blentyn teirblwydd â'i chrayon, ond trwy'r cyfan yn gartrefi, a hynny ymhell o ddrewdod McDonalds ac anialwch concrit a thyrrau balch banciau'r byd.

Yr hyn sydd yma, yng nghanol trasiedi tlodi, ydy'r bwrlwm sy ynghlwm wrth yr ymdrech o gael byw, oherwydd bod aros yn llonydd a segur yn gyfystyr â bod heb gartref, bwyd a gwaith. Y peth arall sydd yma ydy arwyddion: cigyddion, llefydd trin beics, gwestai – pob un mewn cwt pren un llawr. O dro i dro, dwi'n anghofio lle'r ydw i ac yn meddwl 'mod i yn y Bala. Mae'n amlwg mai'r gair am ddyn, neu werthwr o ryw fath ydy 'wa' – 'wa benz' oedd y dyn gwerthu ceir ar yr hysbysebion crand, a 'wa cig', 'wa beics' ac yn y blaen sydd ar flaen y cytiau hyn.

Ond ymhlith yr holl dryblith o arwyddion, roedd un math o arwydd yn ymddangos yn amlach na'r lleill, sef arwydd ar gyfer eglwysi. Eglwysi o bob math, pob enwad, cyfarwydd ac anghyfarwydd. Nid un neu ddau yma ac acw, ond un neu ddau bob chwarter milltir, a phob un, hyd y gwelwn i o ffenest y bws, yn arwain at gwt bychan un llawr, tlodaidd yr olwg.

Edrych ar hyn oll o bellter maith y trwch o wydr oedd rhyngo' i a nhw wrth wibio i'r gwesty. Roedd y gwesty rywle yng nghanol ardal gyfoethog a chlyd a ymddangosodd yn ara deg wrth inni ddringo'r mynydd. Ond hyd yn oed yn ei filltir sgwâr ei hun doedd y cyfoeth hwn ddim yn gyfforddus. Cyrraedd y gwesty a gorfod disgwyl tra oedd y porthor arfog yn agor y giât i ninnau gael gyrru i mewn a chamu allan o'r cerbydau yn dawel a diogel.

Roedd y gwesty i'w weld yn un crand ond am y mynydd o sachau cerdded a'r côr o gerddwyr chwyslyd a budr oedd yn llenwi'r cyntedd. Mae hon yn garreg filltir bwysig i mi: noson yma, wedyn mi ga i ddechrau ar ail ran yr antur. I'r lleill, dyma'r atalnod llawn a diwedd y daith. Pen punt a chynffon chweigian oedd i'r gwesty. Roedd y tu blaen, y dderbynfa, y bwyty a'r bar efo'r crandia i mi fod ynddyn nhw, ond tipyn mwy cyffredin oedd yr ystafelloedd cysgu yn y cefn – ond eto i gyd ddim hanner mor gyffredin â rhai o'r llefydd y byddwn i'n aros ynddyn nhw yn ystod y dyddiau nesa, dwi'n siŵr. Ro'n i'n cofio hefyd am ddisgrifiad y *Lonely Planet* o'r gwesty fel un braf a chysurus ond ei bod hi'n drueni ei fod o ynghanol ardal golau coch.

Mwynhau preifatrwydd fy stafell. Drws pren a chlo a chyrtans. Treulio awr yn golchi a thaflu a threfnu. Gwagio popeth o bob bag. Penderfynu beth roeddwn i angen ei olchi ar gyfer gweddill y daith, be oedd i'w daflu, a be oedd i'w roid i'r bechgyn fu'n gofalu amdanan ni – roedd Henry yn casglu unrhyw ddillad a meddyginiaethau nad oeddan ni eu hangen. Treulio awran wedyn yn y gawod. Doeddwn i ddim wedi teimlo'n fudur iawn nes i mi gerdded i mewn i grandrwydd y gwesty ac i gysur y gawod. Golchi a molchi a shafio a sgrwbio nes teimlo 'mod i hanner ffordd at fod yn lân. Taswn i'n cael gwneud y cyfan eto, byddwn i'n iawn. Ei gadael hi am y tro a mynd â llwyth o ddillad i'w golchi.

Teimlo rhyw gyffro'n corddi yno' i eto. Gwybod bod antur i ddod a theimlo bod yr oriau o 'mlaen i fel papur lapio rhyngo' i ag anrheg Nadolig. 'Dio ddim rhwystr mewn gwirionedd ond eto mae'n rhaid ei barchu o am ryw hyd. Ffonio rhif Hedd. Mae Hedd Thomas yn ewyrth i fêt i mi, ac er nad ydw i erioed wedi ei gyfarfod o, dwi wedi siarad â fo ar y ffôn ac mae o wedi cytuno i adael i mi aros efo fo am noson neu ddwy. Cael dynes ar y pen arall, oedd yn brin iawn ei Saesneg, yn mynnu bod Hedd wedi mynd ar saffari. A dyna finna'n ôl yn nhrefn pethau. Unwaith dwi ar 'y mhen fy hun mewn gwlad dramor, mae pethau'n dechrau mynd o chwith. Dwi'n meddwl i mi ddeall y dylwn ffonio'n ôl ymhen rhyw awr pan fyddai rhywun arall, gwraig Hedd ella, adra.

Erbyn hyn, roedd pawb wedi molchi a newid ac roedd y newid yn rhyfeddol. Doedd y dynion ddim mor wahanol â hynny – tipyn glanach a thipyn gwell graen ar y dillad, dyna oedd y newid mwya – er bod Connor yn meddwl bod trywsus tracsiwt yn ateb gofynion y dillad crand roedd y trefnwyr wedi gofyn i ni ddod efo ni ar gyfer heno. Ar y llaw arall, roedd y newid yn y merched yn rhyfeddol – heblaw am Sally oedd wedi gwneud cymaint o ymdrech drwy gydol yr wythnos a'r newid ynddi hi felly ddim mor ysgubol. Roedd y merched wedi mynd ati i bincio go iawn a'r orau o'r cyfan oedd Beryl, y swyddog diogelwch. Nes i gerdded heibio iddi hi ar y ffordd i'r bar. Roedd y sgidia cerdded a'r trowsus byr a'i dwy bleth o wallt wedi troi'n ffrog hir binc osgeiddig ac yn llen o dresi euraidd. Rhyfedd o fyd.

Roedd hwyliau ardderchog ar bawb. Pob un yn llawn miri ac yn edrych ymlaen at noson wyllt, tomen o fwyd da ac afon o ddiod. Pawb yn brasgamu i'r cerbydau a'i throi hi am Carnivores, sydd, yn ôl y *Lonely Planet* yn un o'r hanner cant o fwytai gorau yn y byd. Ar ôl cyrraedd, doedd o ddim yn teimlo nac yn edrych fel un o'r goreuon yn y byd. Bron nad oedd hi fel bod yn un o farbiciws y Ffermwyr Ifanc, ond bod 'na fyrddau a chadeiriau cyfforddus. Honglad o adeilad mawr, agored, isel – sied grand wedi ei gosod allan yn flêr. Pob mathau o gorneli a chilfachau, bariau a lloriau dawnsio a byrddau yn gymysg ym mhobman, ond roedd cyfrinach y lle i'w gweld wrth gerdded i mewn. Wrth y drws roedd pydew mawr a thân ynddo fo – barbiciw mawreddog. Ac uwch ei ben o yn chwysu saim roedd cyrff pob mathau o anifeiliaid. Bron nad oedd popeth oeddan ni wedi ei weld ar saffari heddiw yn clecian a chlindarddach ar y tân o'n blaenau ni. A dyna gyfrinach Carnivores. Nid ei fod o'n arbennig o grand ond ei fod o'n gwerthu cigoedd nad oedd i'w cael yn fawr o unlle arall yn y byd.

Cyrraedd efo'r criw roeddwn i wedi bod yn rhannu bws efo nhw ers deuddydd. At y bar a chael ein gyrru i gyfeiriad penodol gan y gweinydd. Cerdded draw efo Martin y Cyn-Athro-*Ex-Pat*. Roedd rhai o'r merched wedi cyrraedd yno o'n blaenau ni ac roedd pump ohonyn nhw wedi eistedd ar fwrdd reit yn y canol. Nes innau arwain Martin i eistedd ar fwrdd wrth eu hochr nhw. Ond pan eisteddais i lawr ac edrych i fyny roedd hwnnw wedi mynd i eistedd ar y bwrdd yr ochr draw i'r genod a 'ngadael i ar fy mhen fy hun. 'Twll ych tina chi,' meddwn inna, a symud i fyny a chymryd y chweched set ar fwrdd y merched drws nesa. Ymhen sbel, dyma un yn codi rownd gan ofyn i bawb yn eu tro be roeddan nhw isio. Pawb, hynny ydy, ond y fi. Roedd hon yn mynd i fod yn noson hir.

Cyn i mi orfod meddwl beth i'w wneud a sut i'w wneud o, fe ddaeth achubiaeth o du Henry a waeddodd i ddweud ein bod ni'n eistedd yn y lle anghywir a bod angen symud i stafell oedd wedi ei neilltuo i ni rywle ym mhen pella'r adeilad. Cyrraedd yno ac eistedd mor bell â phosibl oddi wrth y giwed genod a chael cwmni digon difyr William *wet-wipes*, Sally a Beryl, ond bod Connor a Kylie yr ochr arall i mi.

Egwyddor y lle oedd y gallech chi fwyta hynny o gig fedrech chi. Tra medrech chi gnoi, fe fyddai'r gweinydd yn cario bwyd i chi. Yn ôl y marchnata, roeddech chi'n cael bwyta pob math o anifeiliaid egsotic. Wrth gwrs, doeddan nhw ddim yn dilyn yr egwyddor o gynnig y gwin gorau gynta – yr egwyddor oedd ein llenwi ni efo porc a chig eidion cyn cynnig y cigoedd drytach a phrinnach. Wedyn, fe ddaeth peli o gig impala, golwythi o gig estrys, lympiau gwydn o gig crocodeil ac ambell sleisen o sebra. Profiad gwaedlyd, gwych, gwerth ei gael petai ond er mwyn cael dweud y stori a'i hestyn hi yng nghwmni pob llysieuydd dwi'n nabod. Fe fyddai'r gweinydd yn dod yn ôl ac yn ôl drachefn nes y byddech chi'n codi'r faner fechan oedd ar ganol y bwrdd – unwaith roedd bwrdd yn ildio ac yn codi honno, doedd dim rhagor i'w gael.

Dros fwyd, fe drodd Connor ata i a dweud nad oedd o ddim wedi cael llawer o gyfle i siarad efo fi yn ystod yr wythnos ond ei fod o isio dweud gymaint roedd o wedi rhyfeddu at fy mherfformiad i a'i fod o isio fy llongyfarch i am gwblhau'r daith mor llwyddiannus. Ro'n i'n ddiolchgar tu hwnt iddo fo am ddweud y fath beth achos ychydig wyddai o pa mor falch oeddwn i ohona i fy hun. Ro'n i'n teimlo'n reit fodlon fy myd nes iddo fo droi at y genod ar yr ochr arall a dweud rhywbeth dan ei wynt a barodd i'r cwbl ohonyn nhw chwerthin. Basdad.

Rhwng hyn a'r ffaith bod hyd yn oed William, y creadur clên, diniwed hwnnw, wedi mabwysiadu be oedd o'n ystyried yn acen Gymreig, roeddwn i'n barod i fynd adra. Doeddwn i ddim wedi ennyn unrhyw barch na chyfeillgarwch os oedd rhyw gadach fel hwn yn 'y ngwatwar i yn fy wyneb. Ac os oeddwn i wedi gwneud cyn lleied â hynny o argraff arnyn nhw, doeddwn i ddim yn haeddu eu parch nhw chwaith. Dal tacsi adra ar 'y mhen fy hun â thaeogrwydd yn tasgu o fêr fy esgyrn fel roedd yr estrys druan ar y tân yn chwysu ei saim ei hun.

Yn ôl i'r gwesty ac i'r bar â fy nyddiadur a nofel digon o ryfeddod o sâl yn gwmni. Mwynhau'r llonyddwch a mwynhau'r cwmni a dechrau edrych ymlaen at weld cefn y giwed oedd efo fi.

Fûm i ddim yno'n hir nes i gwpwl ddod i eistedd ar y bwrdd agosa ata i. Siaradai'r ddau un o'r ieithoedd Scandinafaidd. Dyn gwyn oedd o a hithau'n ddynes ddu ac roedd y ddau, mae'n amlwg, wedi bod allan am y noson. Unwaith y cododd o i fynd i'r tŷ bach fuodd hi ddim yn hir cyn holi be oeddwn i mor brysur yn ei sgwennu.

Egluro iddi be oeddwn i'n ei wneud a holi eu hynt a'u helynt hwythau. Tomi oedd ei enw fo ac Anna oedd hithau.

Roeddan nhw'n dod o Ddenmarc ac er ei bod hi wedi ei geni yn Kenya roedd hi wedi gadael pan oedd hi tua saith oed. Roedd ganddyn nhw ferch fach oedd yn cael ei gwarchod gan y forwyn ac roeddan nhw yn Kenya am ryw fis neu ddau. Yn amlwg, roeddan nhw'n gwerthfawrogi dwyieithrwydd ac yn gwybod am Gymru a'r Gymraeg. Mi fuodd hi'n gyfieithydd efo'r Groes Goch nes iddi orfod gweithio yn Rwanda a theimlo na allai hi ddiodda clywed rhagor. Bellach roedd hi'n trefnu teithiau gwyliau i Kenya. Roedd Tomi'n gyfrifydd o ryw fath. Siarad pymtheg yn y dwsin a phrynu rownd ar ôl rownd o gwrw a gin a thonic. Eglurodd Tomi ei fod o wedi bod yn y pentra lle magwyd Anna ac mai'r ddiod oedd yn cael ei hyfed yn fan'no, yn arbennig gan y merched, oedd Guinness wedi ei gymysgu â Fanta – Guinness gwael, cynnes a phop oren. Roedd y syniad yn codi cyfog a chwerthin bob yn ail.

Er bod y ddau yn hynaws a chlên, rywsut roeddwn i'n synhwyro bod rhywbeth o'i le rhwng Anna a'r gweinydd oedd yn dod â'r diodydd i ni. Doeddwn i ddim yn deall gair roedd hi'n ei ddweud wrtho fo nac o'r sgwrs oedd rhyngddi hi a'i gŵr bob tro y byddai'r gweinydd yn gadael, ond roedd ei hystumiau hi mor huawdl nes bod pob gewyn o'i chorff yn poeri eu dirmyg at y gweinydd. Oedd hi'n cyfri ei hun yn well na'r gweinydd, sef dyn du isel ei dras, neu oedd hi'n bosibl ei fod o'n ei thramgwyddo hi rywsut bob tro roedd o'n dod at y bwrdd?

Yn y diwedd nes i fagu plwc a holi beth oedd yn digwydd. Mae'n debyg bod y gweinydd yn mynnu mai putain oedd Anna. Yn ei dyb o, dim ond un math o ddynes ddu fyddai wedi gwisgo mor dda ac mewn bar yng nghwmni dau ddyn gwyn, a phutain oedd honno. Wrth gwrs, roedd Anna yn mynd yn benwan efo fo. Roedd hi ei hun yn cydnabod bod hynny'n beth cyffredin yn Kenya ond roedd o'n gwrthod derbyn ei gair hi nad putain mohoni. Yr hyn oedd yn od oedd, er cymaint ei phrotestiadau, roedd y boi yn dal i ddod yn ôl at y bwrdd a doedd hi ddim yn mynnu ei fod o'n cael ei symud i weini bwrdd arall. Dirgelion diwylliant gwahanol, mae'n debyg.

Ymhen hir a hwyr, dyma'r lleill yn eu holau.

"Hai, *Ahhh-well.* Yma ar dy ben dy hun wyt ti?"

"Na. Fel mae'n digwydd, dwi yma efo Tomi ac Anna." A chyflwyno fy ffrindiau newydd gan nad oeddan nhw wedi sylwi arnyn nhw.

Dyma'r Cyn-Athro-*Ex-Pat* yn palu i mewn, yn troi'i gefn ata i a chyflwyno'i hun, fel taswn i ddim yno. Wedyn, fe ddaeth Shirley, a noson o ddiota wedi rhoi sglein hyd yn oed yn beryclach nag arfer ar ei llygaid. Dechreuodd honno baldaruo 'mod i'n sgwennu fy nyddiadur yn Gymraeg fel nad oedd modd iddyn nhw ddeall be o'n i'n sgwennu. Drwy hyn i gyd, fe welwn wyneb Anna yn cymryd arno'r wedd oedd arno wrth drin y gweinydd. Fuodd hi ddim dau funud yn egluro ei bod hi'n deall yn union be oeddwn i'n neud ac, os nad oedd ots ganddyn nhw, na fysan ni ddim yn meindio cael llonydd i gario 'mlaen i drafod fel ag yr oeddan ni cyn iddyn nhw amharu arnan ni. Doedd dim taeogrwydd yn perthyn iddi hi. Ginsan i'r tri ohonon ni a chodi 'ngwydr i ddymuno'n dda iddyn nhw ar eu taith. Gwely bodlon a chyffro fory yn disgwyl amdana i jyst y tu hwnt i un noson arall o gwsg.

Dechrau'r daith

Yote yang'aayo udidhani ni dhahabu

Nid aur yw popeth melyn

Deffro efo ochenaid a chodi efo gwên ar fy wyneb. Heddiw roedd y daith yn dechrau. Roedd y rhan fwya wedi brecwasta ac un ai'n trefnu mynd am y ddinas neu'n gorweddian o gwmpas y pwll. Cael brecwast efo William *wet-wipes*, a'r unig beth oedd yn fy mhoeni i oedd dirnad sut roeddwn i'n mynd i adael os oedd Hedd wedi mynd ar saffari.

Ffonio'r tŷ a chael sgwrs anodd arall. Meddwl ella 'mod i wedi deall bod rhywun yn mynd i alw. Fawr callach a fawr tawelach fy meddwl ond penderfynu ei gadael hi felly am y tro.

Gorwedd yng ngwyll fy stafell wely. Roedd hi'n tywynnu haul, roedd gen i ddyddiadur i'w sgwennu a llyfr difyr i'w ddarllen. Roedd 'na far awyr agored digon o ryfeddod a phwll nofio y gallwn i eistedd wrtho fo, ond roeddan 'nhw' yno. Roedd y daith i ben a'r strwythur roeddwn i'n gweithredu y tu mewn iddi wedi diflannu, doedd gen i ddim awydd cymysgu ac mae'n amlwg nad oedd gan neb awydd dod i chwilio amdana i. Heb deimlo felly ers pan oeddwn i yn yr ysgol gynradd.

Oeddwn i'n teimlo felly am nad oeddwn i wedi bod yn geffyl blaen? Dwi ddim yn meddwl. O'n i wedi cael cam? Nac oeddwn. Wedi bod yn groendenau o'n i. Tybed oedd ganddo fo rywbeth i'w wneud â pheidio rhannu pabell? Yr un egwyddor â bod yn unig blentyn? Neb yno roeddwn i'n gorfod ymwneud â nhw ac yn cynnig ffordd i mewn i gymdeithas pobl eraill, ac felly 'mod i wedi bodloni ar fy nghwmni fy hun? Neu ella 'mod i jyst wedi bod yn anlwcus yn y criw ddigwyddodd ddod ar y daith. Dim byd yn bod efo nhw, dim byd yn bod efo fi, ond dim yn gyffredin rhyngon ni chwaith. Tro nesa, ella y byddwn i'n cael cwmni deg ar hugain o archifyddion Cymraeg eu hiaith sy'n methu canu ond yn medru yngan eu cytseiniaid yn gwmni i mi. Ond wedyn dwi'n nabod rheiny i gyd yn barod a go brin y bydden ni'n dymuno mynd ar wyliau efo'n gilydd.

Ta waeth, fel ro'n i gorwedd ar 'y ngwely yn cuddio rhag y dydd, dyma'r ffôn yn canu. Roedd rhywun yn y dderbynfa yn disgwyl amdana i. Gan nad oeddwn i'n nabod neb arall ar y cyfandir cyfan mae'n rhaid mai rhywun o dŷ a theulu Hedd oedd yno. Gwasgu yr ychydig o bethau oedd yn rhydd o gwmpas yr ystafell i mewn i fy sachau a thrio peidio â rhedeg i'r dderbynfa. Dyn bychan main o'r enw John oedd yno'n disgwyl amdana i. Roedd o'n gweithio yn swyddfa Hedd ac wedi cael cyfarwyddiadau i ddod i fy nôl i echdoe. Galwodd amser te echdoe, fore a phnawn ddoe a bore heddiw eto. Roedd y negeseuon wedi cawlio yn rhywle. Ond beth bynnag am hynny, roedd o wedi cyrraedd ac fe allwn i adael.

Roeddwn i hanner ffordd at y cerbyd cyn i mi ystyried ella y byddai'n well i mi wneud rhyw ymdrech i ffarwelio efo gweddill y criw. Taro 'mhen i mewn i'r lle roeddan ni wedi cael brecwast a gweld bod dau neu dri yn dal yno'n mwytho'u coffi. Ffarwelio'n ddiffuant efo William *wet-wipes* (ges i un o'r pacedi oedd ganddo fo dros ben ar gyfer gweddill y daith) – roedd o wedi bod yn gwmni difyr; a rhyfeddu bod Martin y Cyn-Athro-*Ex-Pat* mor frwd wrth ysgwyd llaw – ella ei fod o jyst yn frwd i gael gwared arna i. Ro'n i'n falch bod Sally yno er mwyn ffarwelio efo hi. Wrth i mi afael amdani a gorffwys fy ngên ar ei hysgwydd hi, roedd Beryl yno, y tu ôl iddi, yn gwenu arna i'n ofalus. Dyna'r cwbwl welais i. Leiciwn i fod wedi gweld un neu ddau o bobl eraill ond nes i ddim a nes i ddim ymdrech i fynd i chwilio chwaith. Roedd John a'i gerbyd a gweddill y daith yn disgwyl.

Awê!

Mae'n debyg nad wedi mynd ar saffari roedd Hedd ond wedi mynd efo'i waith i'r Sudan. Mi gollon ni'n gilydd am ein bod ni wedi cymysgu'r dyddiadau. Eglurodd John fod Jane, gwraig Hedd, yn yr ysgol yn disgwyl amdana i a'n bod ni'n mynd i fan'no gynta.

Gyrru i drefedigaeth ar gyrion y dre. Roedd y jîp fel petai hi'n ymwthio trwy'r prysurdeb. Nid prysurdeb gwyllt canol y ddinas, ond yr argraff o brysurdeb sydd i'w weld lle bynnag mae 'na lawer iawn o bobl. Nid eu bod nhw'n brysur ond bod 'na brysurdeb yn perthyn i dorf hyd yn oed pan fydd hi'n sefyll yn llonydd. Roedd y ffyrdd yn wael a'r bobl yn rhyw lusgo o gwmpas y lle; pawb oedd â rhywle i fynd iddo fo wedi hen fynd a neb arall â brys mawr i fynd i'r unlle am nad oedd ganddyn nhw unlle i fynd. Lladd-dy mawr yw prif gyflogwr yr ardal a llawer iawn o dai sianti wedi eu hadeiladu o'i gwmpas, a dyna pam y bedyddiais i'r lle ar unwaith yn Llanybydder – oherwydd y lladd-dy nid oherwydd y tai shanti.

Dringo'r mymryn lleia allan o fywyd y sianti at Ganolfan Croes Goch Karen, bryncyn oedd fil o filltiroedd y tu hwnt i flerwch y tlodi yr oedd o'n trochi ei draed ynddo. Llecyn o laswellt lle roedd mymryn o awel a chysgod dwy neu dair o goed ffigys anferth. Neuadd fawr a chysgodol, lle delfrydol ar gyfer ysgol feithrin – Neuadd Goffa Dorris Morgan, a thybed pwy oedd honno? Ysgol baratoadol ar gyfer ysgol gynradd oedd hi. Gan fod y llywodraeth wedi cynnig addysg gynradd rad ac am ddim i bob plentyn yn ddiweddar, bu galw am wasanaeth yr ysgol feithrin gan blant hyd at ddeg ac un ar ddeg oed. Yn ôl John, mae hynny wedi arafu ac mae'r plant sydd ynddi erbyn hyn rhwng tair a saith.

Dychwelodd John i'r swyddfa a rhoddodd Jane groeso cynnes a ffurfiol i mi i'r ysgol. Dynes ofalus a chwrtais ac eithriadol o glên, oedd yn ystyried rhai pethau'n ddwys ddifrifol ac yna'r wên yn torri ar draws ei hwyneb tywyll fel pelydrau'r haul drwy gymylau.

"Bore da, Rocet. Mae hi mor dda eich cyfarfod chi."

Yr enw doeddwn i ddim wedi ei glywed ers cymaint o

amser. O'r diwedd, ro'n i ymysg ffrindiau ac o fewn munudau roeddwn i wedi newid byd – o gysgod gwarchodol un o westai mwya moethus Nairobi i ganol bwrlwm gwallgo ysgol feithrin yn un o ardaloedd tlota'r ddinas.

Mae'n syndod fel mae llond dwrn o blant bach yn medru codi ofn ar ddyn, ac am rai munudau fedrwn i wneud dim ond eistedd yn y gornel yn edrych arnyn nhw'n mynd o gwmpas eu pethau. Ysgwyd fy hun o fy swildod ar ôl sbel ac ymuno efo bwrdd o bedwar person bach diwyd iawn – John, Joseph, Mary ac Esther. Esther yn dywyll o ran pryd a gwedd, yn dawel a difrifol iawn ac yn eithriadol o ofalus efo'i gwaith. Gweithiai'n fychan fân gan ofalu rhwbio allan a chywiro cyn symud ymlaen. Mary'n fain a bywiocach a goleuach ei gwedd ac yn barotach i wenu. Yr hogia yn hogia. Llond tudalen o luniau mawr blêr o jiráff a chath ac eliffant. Roedd Joseph yn llaw chwith ac yn barod i fentro tra bod John yn llai hyderus ac yn symud at ochr rhywun trwy'r amser i gael sylw a chefnogaeth. Roedd y pedwar, fel plant unrhyw ysgol feithrin drwy'r byd, yn ddiniwed a llawn hwyl ac eto roedd rhyw ddifrifoldeb a phenderfyniad i orffen gwaith ynddyn nhw na fedar ond perthyn i blentyn o'r oed yna. Gwneud llun un o'r anifeiliaid yn yr arch a sgwennu ei enw fo oddi tano fo oedd y dasg am heddiw, pob un wrthi ac yn mynd yn eu tro i ddangos eu llun i Jane.

Cinio o ffa, pys, moron a reis a diod o ddŵr i olchi'r cwbwl i lawr ac wedyn allan, nid i chwara ond i gysgu. Pawb yn gorwedd rywle yng nghysgod y coed mawr ac yn cysgu'n drwm, eto mewn modd na fedar neb ond plentyn o'r oed yna gysgu.

Deffro o un i un a chychwyn ar waith pwysica'r dydd,

sef chwara. Chwara addysgiadol efo jig-so a'r wyddor neu rifau neu luniau a geiriau, ond chwara dringo a rhedeg a dawnsio a chanu hefyd tra bod dau neu dri yn dal i gysgu trwy'r cwbwl. Rhedeg a rasio efo nhw nes 'mod i wedi blino'n lân. Dysgu gan Jane nad ydy'r rhain yn blant cyffredin: mae bron y cyfan wedi colli un rhiant i AIDS, rhai wedi colli dau, a rhai o'r rheiny yn byw gyda nain a thaid sy'n gaeth i gyffuriau ac alcohol. Ond maen nhw'n blant cyffredin yn y wlad hon. Addysg ydy'r unig beth sy'n debyg o arbed y rhain rhag ffawd tebyg i'w rhieni.

Ymuno â'r hwyl drachefn a chario dau neu dri phlentyn yn hongian oddi ar bob braich fel sypiau trwm o rawnwin yn sgrechian chwerthin â gobaith yn tasgu ohonyn nhw. Baich trwm o dristwch gobeithiol...

Teithio adra gyda Jane ar ddiwedd y dydd a chael ar ddeall eu bod nhw'n byw yn Karen. Cael cip ar y *Lonely Planet* wrth fynd ac mae'n debyg bod Karen wedi ei henwi ar ôl Karen Blixen, awdur *Out of Affrica* – gwraig fonheddig o Ddenmarc fuo'n byw bywyd sidêt yn yr ardal hon. Yn Karen y setlodd llawer iawn o'r bobl wyn o Brydain a ddaeth i'r wlad, ac mae'n debyg bod tai yma ac acw ymhlith y bryniau sy'n atgynyrchiadau perffaith o dai fferm Lloegr â gerddi a blodau fel petaech chi yn yr Home Counties. Felly ro'n i wedi bod yn y ddwy ran o Kenya lle mae'r gwynion yn dal i setlo. Doedd cartre Hedd a Jane ddim byd tebyg i unrhyw dŷ fferm Saesnig ond doedd dim dwywaith nad oedd o yn y *leafy suburbs.* Troi oddi ar y briffordd i lawr lôn fechan i'r chwith â'i chlai yn bantiau a rhychau dyfnion. Ond o boptu i ni, yn cuddio yn y coed fel rhyw anifeiliaid swil, roedd dwy res o dai. Roedd y giatiau a'r cloeon, y rhybuddion diogelwch a'r gwrychoedd uchel yn dangos bod ganddyn nhw rywbeth gwerth ei ddwyn. Troi trwyn y jîp i'r chwith drachefn, aros o flaen y giât uchel a chanu corn. Fe ddaeth dynes mewn lifrai morwyn o rywle ar drot trafferthus i agor y giât a'i chloi ar ein holau ni.

Roedd y tŷ mewn pant bychan cysgodol oddi tanon ni â choed uchel yn ei amgylchynu. Cyn pen dim, roeddan ni'n rhoi'r byd yn ei le dros baned o de. Holodd Jane am y daith gerdded ac am sut roedd pethau yng Nghymru ac yn arbennig am deulu Hedd. Roedd hi'n amlwg bod bywyd yr eglwys yn gwbwl ganolog i fywyd y teulu, ac ysgol wedi ei ffurfio gan wragedd yr eglwys oedd yr ysgol feithrin. Doedd hi ddim yn hir cyn i'r sgwrs droi at grefydd. Eglurodd eu bod nhw fel teulu yn perthyn i enwad o'r enw'r Vineyard sy'n enwad reit orllewinol ac er nad oedd llawer o'r bobl wyn sy'n byw o'u cwmpas nhw yn mynd i unrhyw eglwys, eto, roedd mwyafrif y gynulleidfa'n wyn. Un rheswm am hyn, meddai Jane, efo gwên fechan, oedd bod y gwasanaethau yn cael eu cyfyngu i ryw awr a hanner am nad oedd y bobl wyn yn gallu dygymod â'r gwasanaethau Affricanaidd oedd yn medru parhau am bedair, bump neu chwe awr. Doedd dim dwywaith nad oedd Nairobi yng ngafael diwygiad o ryw fath. Roedd Jane yn cadarnhau be oedd arwyddocâd yr holl arwyddion roeddwn i wedi eu gweld.

Treulio peth amser yn didoli fy mhethau. Gadael fy holl drugareddau cerdded a hynny o anrhegion ro'n i wedi eu prynu hyd yn hyn ar ôl yn Karen. Gadael fy nhocyn awyr hefyd fel y medrwn i fynd adra os byddai 'na argyfwng ac os byddwn i mewn cyflwr i gyrraedd cyn belled â hyn.

Cyn pen dim, roedd y genod adra o'r ysgol. Lydia a Rebecca oedd enwau dwy ferch ifanc Hedd a Jane. Dwy ferch dlws, gwrtais, ddeallus â'u swildod blagurol yn blodeuo'n holi brwd mewn fawr o dro. Eu Saesneg yn ofalus a chywir, eu barn yn bendant a'u cellwair yn ddifyr. Wn i ddim pa werth sydd yna i'r hen syniad bod swildod yn beth dymunol mewn plant a phobl ifanc. Mae hyder braf fel hyn gymaint gwell.

Cael swper efo'r tair ohonyn nhw. Dweud gras yn gynta. Lydia oedd yn gweddïo ac yn diolch am y bwyd oedd o'n blaenau cyn mynd ymlaen i ddiolch i Dduw am ddod â Mr Jones atyn nhw'n ddiogel. Ar ôl amenio, mi fu'n rhaid i mi egluro i Lydia er bod Duw yn gyfarwydd â

’nghlywed i’n cael ’y ngalw’n bob math o bethau mai go brin ei fod o’n gyfarwydd â ‘Mr Jones’. Penderfynu wrth weld Lydia’n gwisgo crys-T â’r geiriau ‘balch i fod yn Gymraes’ arno fo a Rebecca’n siarad yn braf am gadw dyddiadur, y byddai’r naill yn cael fy Nraig Goch i’n anrheg a’r llall yn cael llyfr o ryw fath a wnâi ddyddiadur iddi. Mor braf oedd cael eistedd yn siarad yn gall am Gymru, am Landwrog, am Breimin Môn a’r Steddfod Genedlaethol ac am bobl roeddan ni i gyd yn eu nabod a chael tywallt Halen Môn dros fy mwyd tra oeddwn i wrthi.

Teimlo’n gwbl gartrefol efo’r teulu bach yma o berfeddion Kenya. Rhyfeddu, cyn gorffen y pryd, fod y merched yn un ar ddeg ac yn dair ar ddeg mlwydd oed. O’u cymharu â merched Cymru, byddwn i wedi dweud eu bod nhw’n llawer iau. Ella bod a wnelo’r peth â rhyw ddiniweidrwydd mae plant Cymru yn ei golli mor sydyn – bron nad ydyn nhw’n gwisgo fel pobl ifanc yn eu harddegau cyn eu bod nhw’n cerdded. Diniweidrwydd oedd yn cael ei warchod gan y giatiau uchel oedd hwn. Gallen nhw fforddio bod yn ddiniwed o’u cymharu â mwyafrif eu cydwladwyr. Y rhyfeddod ydy bod cyfoeth cymharol yn prynu diniweidrwydd yn fan hyn tra mai’r hyn sydd ar ben rhestr Siôn Corn yng Nghymru ydy rhyw sinigrwydd bydol y mae hi wedi cymeryd degawdau i rai ohonon ni ei feithrin. Ond dyma deulu dymunol a chwmni braf dros ben.

Cyn i ni droi, roedd John wedi cyrraedd ac roedd hi’n amser mynd i ddal y trên – a dweud y gwir roedd hi’n hen bryd mynd i ddal y trên. Ffarwelio efo'r tair nad o'n i ond newydd ddechrau dod i'w nabod a rhuthro efo John trwy draffig gwallgo Nairobi i gyfeiriad yr orsaf. Wrth fynd fe eglurodd o gryn dipyn i mi am yr hyn oedd yn digwydd o 'nghwmpas i.

O boptu i ni roedd siopau a gweithdai bychain. Mae'n amlwg bod yr ardal hon yn arbenigo mewn creu dodrefn a phob math o bethau ar gyfer y tŷ – cadeiriau, byrddau, cypyrddau – a phob gweithdy yn gosod eu deunydd yn rhesi ar ymyl y ffordd. O'n i'n methu deall pam fod croes fawr goch wedi ei phaentio ar dalcen llawer iawn o'r siopau. Ond arwydd oedd hwn bod y llywodraeth ar fin dymchwel yr adeilad. Mae'n debyg bod rhain wedi codi eu siopau ar ymyl y ffordd yn anghyfreithlon a bod y llywodraeth newydd yn mynd i adfeddiannu eu tir a dymchwel yr adeiladau yn gwbl ddiseremoni.

Ro'n i'n holi John hefyd ble roedd yr holl Fatatus ro'n i wedi darllen cymaint amdanyn nhw yn y llyfrau taith. Trafnidiaeth gyhoeddus chwedlonol Kenya oedd y Matatus. Bysiau mini bychan ar gyfer rhyw ddwsin o bobl oedd yn llwyddo i gario degau ar y tro a phobl yn hongian fel grawnwin oddi arnyn nhw. Pe gallech chi gael gafael ar unrhyw ddarn o'r bws, gwasgu i mewn neu gydio wrth y tu allan, hyd yn oed eistedd ar y to am wn i, yna caech eich cario i le bynnag roedd y bws yn mynd, ond i chi dalu eich ffêr. Yr un ffêr am gael dwy foch ar sêt y tu mewn ac am gael blaen troed ar stepen tu allan. Ond doedd dim sôn amdanyn nhw, a finna wedi edrych ymlaen at drio cael reid ar un cyn gadael y wlad. Eglurodd John bod hynny'n un arall o gynlluniau'r llywodraeth newydd. Gosod rheolau iechyd a diogelwch ar y Matatus – deuddeg sêt, deuddeg teithiwr, gwregys diogelwch ar bob un, a thrwydded i bob gyrrwr. Aethon ni heibio i swyddfa'r heddlu a gweld torf enfawr o ddynion yn stwna tu allan i'r giatiau yn disgwyl am eu trwyddedau. Cyfyngai'r rheolau ar olwg y cerbydau hyd yn oed. Doedd dim sôn am y cerbydau lliwgar a'r sloganau rhyfeddol roeddwn i wedi eu gweld yn y llyfrau – roedd rhain i gyd yn wyn â streipen felen ar hyd y canol yn dangos rhif y *route* a'r llefydd roedd y Matatu'n galw. Llawer taclusach, llawer mwy diogel, llawer llai o deithwyr, llawer llai o yrwyr, llawer llai o incwm i berchnogion y cerbydau. A dyna, yn ôl John, un o'r prif resymau dros y rheolau newydd: yn ogystal â chynyddu diogelwch, roeddan nhw'n llwyddo i dorri ar incwm y perchnogion, a'r perchnogion, yn amlach na pheidio, oedd y Maffia. Felly dyna dorri ar incwm y troseddwyr tanddaearol oedd yn tanseilio gymaint ar y wlad. Er gwaetha hyn, allwn i ddim peidio â theimlo'u bod nhw wedi fy amddifadu i o un antur fach arall.

Siarad bymtheg yn y dwsin a gwrando ar sianel radio efengylaidd wrth fynd fel cath i gythraul ar hyd ffyrdd cefn Nairobi. I mi, roedd hi fel petai John, bob tro roeddan ni'n dod ar draws tagfa arall o geir, yn ei hosgoi hi trwy droi i ffordd gefn oedd yn mynd â ni ymhellach ac ymhellach oddi wrth yr orsaf drenau. Ond yn rhyfeddol ddigon fe gyrhaeddon ni yn union ar amser a'r lle i'w weld yn berwi efo plismyn a phobl bwysig. Oeddan nhw'n 'y nisgwyl i?

Ffarwelio efo John, gan obeithio'i weld o pan fyddwn i'n dychwelyd, a mynd i chwilio am fy nhrên. Roedd rhywbeth mawr yn digwydd ar y platfform – goleuadau camerâu, cerddoriaeth, hysbysebion noddwyr, meicroffons, siwtiau, areithiau a sgerbwd y bwffe a fu, o'u cwmpas nhw'n flêr. Brwydro drwy ganol rhain a dod o hyd i'r cerbyd cywir ar y trên cywir. Wedi trefnu teithio yn y cerbyd dosbarth cynta, ac mae'n debyg nad oedd hwnnw hyd yn oed yn gwbl saff rhag y lladron. Erbyn meddwl, mae'n siŵr mai dyna lle roedd y lladron gorau i gyd yn teithio – pa ddiben mynd i ddwyn oddi ar bobl oedd â llai o fodd yn yr ail a'r trydydd dosbarth? Lle i ddau oedd yn y caban. Dwy fainc hir gyfforddus, y naill uwchben y llall, cwpwrdd a hyd yn oed basyn ymolchi. Treulio'r munudau cyn i'r trên gychwyn yn dychmygu efo pwy byddwn i'n rhannu'r daith ryfedd hon dros nos o Nairobi i Mombasa. Ond ddaeth neb. Mae'n amlwg bod rhywun yn rhywle wedi penderfynu 'mod i fod ar 'y mhen fy hun ar y daith yma – yn y babell a rŵan ar y trên.

Mi gychwynnodd y trên wedi i'r deg ar hugain o bobl ifanc oedd â rhywbeth i'w wneud â'r sbloets ar y platform esgyn arno fo. Unwaith roeddan ni wedi cychwyn a minnau wedi cael gafael ar y stori yn y nofel ro'n i'n ei darllen, dyma gloch yn canu. Nid cloch chwaith ond triongl o haearn yn crogi oddi ar linyn yn llaw'r giard yn cael ei guro efo llwy, a dyna'r arwydd bod swper yn barod. Cuddio fy mhaciau o dan y sedd a gobeithio y byddai'r lleidr yn rhy ddiog i chwilio.

Cyn pen dim, roedd 'fy nychymyg yn drên' ac roeddwn i ar yr Orient Express. Cerbyd arbennig ar gyfer bwyta. Pryd pum cwrs oedd swper. Cael bwrdd i mi fy hun. Oni bai am y myfyrwyr, fyddai 'na ddim mwy na rhyw ddwsin ohonon ni'n bwyta i gyd. Byrddau braf â llieiniau gwyn yn eu gorchuddio. Catrawd o gyllyll a ffyrc o boptu'r plât – a logo'r cwmni rheilffordd ar bopeth. Roedd y gweinydd yn dalsyth. Yn wir, roedd pob un ohonyn nhw 'run fath, ac yn gwneud i mi amau ai nhw oedd yn syth o gorff neu a oedd

’na gymaint o starts yn eu lifrai gwyn nes eu bod nhw’n cael eu dal fel mewn siwt o blastar-o-paris. Fe ddaeth y cawl yn ei dro, a’r pysgod, a’r cig, y pwdin a’r coffi. Bron nad oeddwn i’n clywed grisial y gwydrau yn canu a bysedd y cloc moethus yn gwenu arna i oddi ar y mur uwch fy mhen gan droi’n ôl i ramant y dauddegau.

Ond roedd bysedd y cloc wedi colli pob gafael ar amser ers tro byd ac yn pendilio fel breichiau rhyw ddawnsiwr gwallgo rywle rhwng ugain munud wedi wyth ac ugain munud i bedwar. Nid Chateu Neuf de Pap oedd i’w yfed ond Tusker. Roedd y sglein wedi ei grafu oddi ar y gwydr ac wedi ei wisgo oddi ar y cyllyll a’r ffyrc. Roedd craciau yn y platiau, doedd y llian bwrdd ddim cweit yn wyn ac o becyn plastig y daeth y bwyd. Gan fod rhywun wedi gadael ffenest ar agor roedd tywod y paith yn rhuthro i mewn yn gwmwl o dro i dro ac yn ein gorchuddio â haenen drom o lwch nes gwneud i ni i gyd, a’r cerbyd roeddan ni’n teithio ynddo fo, edrych fel creiriau mewn amgueddfa.

Erbyn i mi gyrraedd yn ôl i’r caban, roedd fy ngwely wedi ei wneud, blancedi a chlustogau wedi eu gosod ar y fainc gyfforddus oedd yn sêt i mi ychydig ynghynt a gorchudd trwchus wedi ei dynnu dros y ffenest. Bron nad oedd rhythm y trên yn fy siglo i gysgu fel petawn i mewn crud anferth a hwnnw’n grud rhyfeddol o gostus. Costus o ran bywydau nid arian. Mae’n debyg bod pedwar dyn wedi marw ar gyfer pob milltir o’r trac hwn sy’n rhedeg o Uganda i Mombasa ac sy’n dilyn trywydd hen lwybr y caethweision. Un peth gyfrannodd at y cyfanswm erchyll hwnnw o farwolaethau oedd bod llewod yr ardal – Parc Cenedlaethol Tsavo erbyn hyn – wedi cael blas ar gig dynion. Yn 1898, wrth i'r Brits godi pont dros Afon Tsavo, fe lwyddodd tri llew i ladd a bwyta dros gant tri deg o ddynion, gan osgoi cael eu dal am bron i flwyddyn. Mae pob math o syniadau ynglŷn â sut y daeth y llewod hyn i gael blas ar gnawd dynol. Un syniad ydy bod y caethweision yn cael eu gadael lle roeddan nhw'n disgyn wrth iddyn nhw orymdeithio'n drist tuag at yr arfordir a bod y llewod wedi dechrau bwyta'r cyrff ac wedi cael cymaint o flas nes dechrau hela'u perthnasau byw. Mae syniad tebyg yn gweld bai ar berchnogion y rheilffordd am beidio â chladdu'n ofalus y gweithwyr oedd yn disgyn a marw wrth eu gwaith, neu am beidio â'u claddu o gwbl. Dadleua rhai eraill fod y llewod yn llwgu am fod clefyd y *rinderpest* wedi lladd miloedd o sebra a gazelle a'u bod nhw wedi troi at ddynion oherwydd hynny. Yn y flwyddyn 2000, archwiliwyd dannedd y tri llew moel, tri llew gwryw heb fwng, sydd wedi eu stwffio a'u gosod mewn amgueddfa yn Nairobi, a'r ddamcaniaeth ddiweddara ydy eu bod nhw wedi dechrau hela pobl am fod y ddannodd arnyn nhw a'u bod nhw'n methu â bwyta dim byd mwy mentrus.

I'r Masaai, ar y llaw arall, doedd gweld y rheilffordd yn torri trwy galon eu tiroedd pori ac yn dod â chlefydau a newyn a marwolaeth yn ei sgil yn ddim mwy na chadarnhau hen hen broffwydoliaeth. Yn ôl eu chwedlau traddodiadol nhw, fe fyddai diwedd y byd yn dod pan fyddai'r neidr ddur yn llusgo dros y tir.

Agor y gorchudd oedd dros y ffenest a gwylio'r paith yn gwibio heibio a'r gorsafoedd lleia a thaclusa yn y byd yn sefyll wrth ochr y trac yn syllu arnon ni'n ddiniwed wrth i'r neidr ddur lusgo heibio. Meddwl tybed a oedd disgynyddion llewod moel Tsavo allan yno'n rhywle yn edrych arnon ni hefyd. Cau'r llen yn glep cyn mynd i gysgu, ond fe lithrodd y diawled i mewn i 'mreuddwydion i 'run fath yn union.

Croeso i Abertawe

Maji ya kifuu ni bahari ya chungu
Mae'r dŵr mewn cneuen goco fel cefnfor i forgrugyn

Cilcidiclac-clicidiclac-clicidiclac...

Nid sŵn y trên ar y cledrau a'm deffrodd i ar doriad y wawr ond sŵn y gloch drionglog yn gwneud ei gorau i ddynwared y trên wrth iddi ein galw ni at ein brecwast.

Codi ac agor y llen bren oedd dros y ffenest a rhyfeddu at lendid y bore. Mae trefi a dinasoedd yn tueddu i fod yn debyg i'w trigolion y peth cynta'n y bore – ymhell o fod ar eu gorau, yn flêr, yn ddiolwg ac angen gwres y dydd i roi mymryn o sglein a cholur arnyn nhw. Ond nid felly Parc Cenedlaethol Tsavo. Roedd fan'ma'n fendigedig ar doriad gwawr – wedi cysgu'n drwm ac wedi deffro'n llawn bywyd, wedi ei sgwrio'n lân a phopeth fel pin mewn papur. Gwres y dydd oedd yn atgoffa Tsavo o'i henaint rhyfeddol, ond am chwarter wedi chwech y bore roedd egni plentyn bychan yn sgleinio drwyddo fo.

Mae Parc Tsavo tua'r un maint â Chymru ond dim ond yn 4% o arwynebedd Kenya. Dyna'r math o bellter nes i deithio yn fy nghwsg neithiwr. Dyna faint y wlad ryfeddol yma.

Cornfflêcs, tost, bacwn, wy, tomato a choffi wrth y galwyn – dwi bron â meddwl mai dyma fwyd traddodiadol Kenya erbyn hyn, ond, dyna fo, dwi ddim yn byw ar yr un ochr i'r geiniog â'r rhan fwya o drigolion y wlad.

Erbyn cyrraedd yn ôl i'r caban, roedd y dillad wedi eu clirio a'r gwely yn fainc drachefn. Eistedd i hel fy mhethau at ei gilydd a chael yr argraff bod y trên yn rowlio yn ei bwysau i lawr rhyw allt hir hamddenol i gyfeiriad yr arfordir. Roedd drain y paith wedi tyfu'n gudynnau Rasta hir ac wedi troi'n balmwydd trendi, roedd glendid effro Tsavo wedi pylu a chyrion Mombasa yn rhwbio'r cwsg o'i llygaid. Wrth i'r adeiladau gau am y trên bron nad oedd rhywun yn teimlo'r aer yn drymach ac yn boethach. Hon yw ail ddinas Kenya – y brifddinas tan rhyw ganrif yn ôl – a'r porthladd mwya ar arfordir dwyreiniol Affrica, â hanes hir a helbulus iddo fo.

Cyrraedd yr orsaf a chamu oddi ar y trên i ganol marchnad o bobl; degau o bobl yn tywallt o'r cerbydau, pob un â'i bwn a'i bac, beiciau, geifr, cnydau a bagiau anferth, mwy nag y gallai unrhyw un ei gario, yn ei haffla. Llwythi o bob math yn cael eu codi a'u gosod yn ddeheuig ac mewn cydbwysedd perffaith ar eu pennau ac yn cael eu cario heb unrhyw help llaw; gan amla roedd y ddwy law yn llawn o rywbeth arall p'run bynnag.

Bachu tacsi yn ddigon didrafferth, ac er bod Philip y gyrrwr yn benderfynol o fynd â fi i westy o'i ddewis o, ro'n innau wedi dysgu, drwy ysgol brofiad, 'mod i am fynd i'r gwesty roeddwn i wedi penderfynu arno ymlaen llaw ac i lynu at hynny doed a ddelo.

Tybed oes yna safon ryngwladol i brebliach gyrrwyr tacsi? Roedd Philip yn siarad fel pwll y môr a, chwara teg iddo fo, roedd o'n ddifyr dros ben – ac wrth gwrs yn cefnogi Man U. Ond aeth ymlaen i sôn am Mombasa. Mae'n debyg bod dros hanner miliwn o bobl yn byw yn y ddinas a'i bod hi'n hen, hen dre o'i chymharu â Nairobi. Yn y bymthegfed ganrif, roedd y bobl yn enwog am wisgo dillad wedi eu gwneud o edafedd aur. Sefydlwyd y ddinas er mwyn masnachu aur, ifori, dur a pherlysiau pan oedd Nairobi yn ddim mwy na phentra bychan. Rhaid mynd i'r harbwr. Rhaid mynd i'r gaer. Rhaid mynd i weld yr hen dre ac, wrth gwrs, fe fyddai o ar gael ddydd a nos i fynd â fi.

"Joia. Ti'n bownd o joio – mae Mombasa'n lot gwell na Nairobi."

Hen, hen gymhlethdod yr Ail Ddinas. Croeso i Abertawe.

Doedd y gwesty ddim llawn cystal â'r disgrifiad yn y *Lonely Planet* ond yn ddigon derbyniol. Stafell braf efo gwely mawr caled a dillad tenau digon budur yr olwg. Stafell *en suite*, a'r bath yn we o graciau mân ac er bod dau dap ar y gawod uwch ei ben, rhyw gam gwag yn esblygiad plymio Affricanaidd oedd y tap dŵr poeth, a doedd y tap dŵr oer ddim yn rhyw frwdfrydig iawn chwaith. Roedd y mymryn o ddrych ar y wal gyferbyn â'r sinc bychan di-blwg, ac roedd hynny'n gwneud siafio'n brofiad diddorol. Atgoffa fy hun i fwynhau'r moethusrwydd a diolch am y ffan fawr a'r rhwyd mosgitos uwchben y gwely cyn ei throi hi am y dre.

Wrth ymgynefino â dinas ddiarth dwi'n ymwybodol 'mod i'n ymddwyn mewn ffordd reddfol, gyntefig bron, wrth ddod o hyd i 'mêrings. Bron nad ydy rhywun yn marcio'i diriogaeth fel rhyw hen gwrcath, yn crwydro rownd a rownd nes bod gwahanol bethau'n dechrau dod yn gyfarwydd. Dydy mynd ar goll ddim yn 'y mhoeni i – mae'n ffordd dda iawn o ddod i adnabod ardal. Gwesty, siop ddillad, arosfan bws… ar goll. Arosfan bws, siop ddillad, gwesty, siop ddillad, arosfan bws, siop Dulux (siopau paent ymhobman), caffi cyfrifiaduron… ar goll… siop ddillad, gwesty. Gwesty, siop ddillad, arosfan bws, siop Dulux, caffi cyfrifiaduron, siop Kodak fawr felen, caffi cyfrifiaduron, siop Dulux, arosfan bws, siop ddillad – a dyna fi'n chwyslyd ond yn gartrefol ac yn ôl yn y gwesty.

Y cam nesa, cyn gwneud fy hun yn rhy gartrefol, oedd ffeindio sut i adael. Wn i ddim be'n union ydy'r rhesymeg tu ôl i'r peth, ond dwi byth yn gwbl gartrefol yn unlle diarth nes 'mod i'n gwybod be 'di'r ffordd i adael. Ella mai'r syniad ydy bod rhywun yn gwybod lle i fynd pe bai'n rhaid gadael ar frys. Neu ella mai dim ond cynnig cysur un llwybr cyfarwydd arall mae o. Beth bynnag, cael cip ar y map a mynd i chwilio am y stryd lle roedd y bysus yn gadael am Malindi ben bore fory. Crwydro'n ddiamcan i'r cyfeiriad ro'n i'n meddwl oedd angen mynd iddo fo. Mae'n rhaid 'mod i'n edrych fel petawn i ar goll – neu'n edrych fel cyflog diwrnod ar ddwy droed – achos cyn pen dim roedd gen i lu o fechgyn yn cynnig cyngor i mi. Dweud wrth y cynta 'mod i angen cyfeiriad cwmni bysus fyddai'n mynd â fi i Malindi. Cerddodd o heibio i hanner dwsin o rai oedd yn dangos enw'r dre ro'n i'n anelu amdani a dewis un yn benodol o blith y stabal o gerbydau. Diolch iddo fo a thalu iddo fo a chyn i mi droi roedd rheolwr y cwmni wedi diolch iddo fo ac wedi talu iddo fo a dyna fynta'n bwyta am ddiwrnod arall. Doedd y brawd ddim yn deall yn union pam nad oeddwn i am brynu tocyn yn y fan a'r lle ond 'mod i'n hytrach am ddychwelyd yn y bore bach. Ond fe fodlonodd pan rois i fy ngair iddo fo y byddwn i yno am hanner awr wedi chwech.

Crwydro'n ôl i gyfeiriad y dre wedi ymlacio'n braf, yn adnabod rhywfaint ar fy hanner milltir sgwâr ac wedi dod o hyd i'r drws cefn allan.

Penderfynu mynd i chwilio am y lle yr oedd ei enw fo wedi tynnu fy sylw i o'r dechrau'n deg – Fort Jesus. Caer Crist – enw rhyfedd o annisgwyl o ystyried ei bod hi ar yr arfordir, sy'n gadarn Fwslemaidd. Cerdded heibio eglwys fawr a chofio ei bod hi'n ddydd Sul wrth weld cynulleidfa niferus yn tywallt ohoni ar ôl y gwasanaeth boreol. Hon, o edrych arni, oedd Eglwys Gadeiriol Anglicanaidd Mombasa ac roedd y gwasanaeth Swahili newydd orffen. Penderfynu mynd i fusnesu yno heno – roedd gwasanaeth Saesneg am chwech.

Wrth gyrraedd cyrion y farchnad, oedd yn nodi'r ffin rhwng yr hen dre a'r un newydd, fe sylweddolais fod gen i ddau gysgod. Roedd yr haul crasboeth yn hyrddio lliwiau'r dydd ata i ac yn gadael siâp fy nghorff ar ôl ar lwyd cynhenid y ddaear, ond roedd gen i gysgod arall hefyd. Roedd dyn bychan wedi dechrau 'nilyn i ac yn cynnig ei wasanaethau fel tywysydd o gwmpas yr hen dre. Un tywyll, blêr o gorff a dillad, yn prin grafu pum troedfedd o daldra – y math o faint oedd yn awgrymu iddo fod yn dalach ar un adeg ond ei fod o wedi crebachu. Rhaid cyfadda bod digon o angen tywysydd arna i ond roedd rhywbeth ynglŷn â'r brawd oedd yn 'y ngwneud i'n anniddig. Roedd ei lygaid o wedi melynu ac yn adrodd am bob math o gamdriniaethau, fel dwy ddalen o'r *Sun* fu'n gorwedd yn yr haul yn rhy hir. Fyddai unrhyw gildwrn a roddwn i hwn ddim yn mynd tuag at roi bwyd yn ei fol o na'i blant.

Tybed oedd o'n un o'r rhai hynny sy'n rhedeg ar fatris – neu'n hytrach ar asid batri? Mae'n debyg bod gan Kenya draddodiad hir o fragu cwrw, ac, yn ogystal â'r Tusker cyfarwydd, mae 'na ddiod maen nhw'n alw'n *chang'a*. Er bod y Keniaid ar y cyfan yn hoffi eu cwrw'n gynnes, yn ddiweddar fe ddaethpwyd o hyd i un cyflenwad oer – hynny ydy, roedd o'n oer heb fod yn agos at unrhyw oergell. Roedd o'n cynnwys cymaint o alcohol methyl nes bod y poteli'n oer wrth eu cyffwrdd. Mae'r math gwaetha wedi ei fragu efo brigau o fariwana, stwnsh cactws, alcali o fatri car a fformalin. Lladdwyd 130 o bobl yn y flwyddyn

2000 ar ôl yfed diod oedd yn cynnwys methanol. Os oedd y brawd yma ar y *chang'a*, mi ddywedwn i fod y batris roedd o'n eu godro yn rhai Duracel achos roedd o'n mynd ymlaen ac ymlaen ac ymlaen ac yn ddygn yn ei benderfyniad o roi taith i mi o gwmpas ardal hanesyddol y dre.

Roedd ein perthynas yn un od. Doeddwn i ddim isio'i gwmni o er 'mod i angen cwmni rhywun tebyg iddo fo. Roeddwn i'n gyndyn o'i ddilyn o, ond eto'n gyndyn o dorri 'nghwys fy hun oherwydd i ba bynnag gyfeiriad byddwn i'n troi byddwn i'n siŵr o fynd ar goll. Ond fedrwn i ddim mynd i grwydro ar fy mhen fy hun er mwyn profi i hwn nad oeddwn i ddim mo'i angen o gan mai'r unig beth fyddwn i'n ei wneud fyddai profi cymaint roeddwn i ei angen o. Ro'n i'n trio'i anwybyddu o ac yn trio dal yn ôl, ond cyn wiried â'i fod o'n troi, troi ar ei ôl o byddwn i. Ac os oeddwn i'n teimlo'n hyderus ac yn troi i'r dde neu'r chwith fe fydda fo'n glynu ata i ac o fewn dim fe fydden ni'n ôl ar y llwybr roedd o wedi ei ddewis. O'n i'n trio peidio â gwrando arno fo ond roedd o'n prebliach am yr union fath o bethau ro'n i angen clywed amdanyn nhw. Dangosai i mi'r drysau â'r patrymau Swahili cywrain oedd â gorchymyn cadw arnyn nhw erbyn hyn, y cynlluniau Indiaidd a'r cynlluniau Prydeinig Colonaidd. Eglurodd fod y dre wedi ei rhannu'n gyfres o *mitaa* lle roedd aelodau o'r un teulu yn tueddu i fyw, a bod teuluoedd estynedig enfawr yn tueddu i fyw yn yr un tai. Eglurodd fod y ffyrdd, neu'r *kitoto* ('lle'r plant bychain'), wedi eu cynllunio cyn bod sôn am geir, fel bod lle i un camel a sach o boptu iddo fo gerdded ar hyd'ddyn nhw. Dywedodd fod Babel o bobl yn byw yma: Affricaniaid, Arabiaid ac Indiaid, a bod pob llwyth gwahanol sy'n byw ar yr is-gyfandir yn cael eu cynrychioli yma. Ond eto doeddwn i ddim wedi ei wahodd o, do'n i ddim wedi gofyn am ei gwmni o, ac roedd ei lygaid o'n dal i adrodd am galedi gwahanol i dlodi.

Gwneud esgus 'mod i am gael bwyd, er nad oeddwn i ddim mewn gwirionedd. Aeth o â fi i gaffi ac eistedd wrth y bwrdd efo fi. Wrth reswm, roedd y dyn yn disgwyl cael ei dalu ond roeddwn inna'n styfnig. Doeddwn i ddim wedi gofyn am ei wasanaeth felly pam dylwn i dalu? Mi gafodd o gil-dwrn cynnil. Am eiliad, roedd y siom yn amlycach na dim arall yn ei lygaid o cyn i hwnnw gael ei sgubo o'r ffordd gan yr awgrym miniocaf o ddicter. Gadawodd yn ddigon diseremoni a 'ngadael innau'n teimlo'n euog ac yn wirion bob yn ail. Angen tywysydd, a gwrthod un pan ges i gynnig. Cymryd fy nhywys yn erbyn fy ewyllys ond heb fod yn erbyn fy ewyllys chwaith. Cymryd bwyd er nad oeddwn i angen bwyd er mwyn dympio'r boi a rhoi cil-dwrn bychan

iddo fo pan allwn i fod wedi rhoi rhywbeth gwerth chweil iddo fo am bris y pryd do'n i ddim ei angen. Rhy falch i ofyn am help pan o'n i ei angen, rhy falch a rhy gynnil i dalu amdano fo ar ôl ei gael o, a rhy galon feddal yn y diwedd i beidio teimlo'n euog am ei drin o mor wael. Ta waeth, roedd o wedi mynd ac roedd hi'n rhy hwyr i mi deimlo'n euog, felly nes i ganolbwyntio ar orffen fy mwyd.

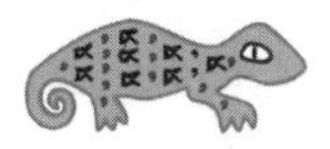

Ei throi hi am Fort Jesus. Derbyn gwahoddiad caredig y tywysydd cynta i gynnig ei wasanaeth i mi. Swltan oedd ei enw fo ac roedd o'n llawn brwdfrydedd ynglŷn â'i swydd; a dweud y gwir, roedd o'n llawn brwdfrydedd ynglŷn â phopeth. Gwallt cyrliog, llac, heb fod yn hir, dannedd blêr a chroen o liw taffi oedd ganddo fo, a oedd yn awgrymu mwy o waed yr Arab na'r Affricaniad. Wrth gwrs ei fod o'n gwybod am Gymru – onid o Gymru roedd Giggs yn dod? Ond ychydig wyddai o, wrth iddo fo ddechrau ar ei bregeth, mai Cymro o dras oedd y cynta i grybwyll tre Mombasa erioed. Hanesydd o Arab oedd o yn llys Roger yr Ail o Sisili yn 1154 a'i enw fo oedd Al Idrisi.

Nes i ddim amharu ar ei lith o ond yn hytrach gadael iddo fo 'ngoleuo i ynglŷn â hanes y dre a'r gaer. Galwodd Vasco da Gama am y tro cynta yn 1498 ond fe gafodd gymaint o ofn wrth weld y trigolion ffyrnig nes iddo fo fynd yn ei flaen, fel bydda inna yfory, i Malindi. Fe gymerodd bron i ganrif arall cyn i Mombasa blygu i'r Portiwgeaid ac i'r gaer gael ei hadeiladu. Mae'n debyg nad ymosodiadau'r Portiwgeaid o'r môr oedd yr unig fygythiad i drigolion Mombasa yn y cyfnod hwn ond bod llwyth o ganibaliaid o'r enw'r Zimba yn ymosod o'r tir ar yr un pryd ac mai dyna pam y cwympodd y ddinas.

Bob yn ail â'r hanes ffurfiol hwn, byddwn i'n cael ambell i ychwanegid gan Swltan. Un oedd ei eglurhad cwbl ddiffuant o ar yr enw Mombasa – Mom-basa – o *mother* a *bastard*. 'Mam' am fod y ddinas mor hen, a 'bastad' am fod cymaint o gymysgedd o genhedloedd yn byw yma. Tybed?!

Ym 1698, ganrif ar ôl i'r Portiwgeaid adeiladu'r gaer, fe'i cipiwyd hi gan Arabiaid Oman. Rhwng y ddwy genedl, fe glymwyd Mombasa'n dynn wrth y fasnach mewn caethweision am gyfnod maith. Drwy'r gaer y byddai caethweision yn cael eu symud o ddwyrain Affrica i Zanzibar. Gwerthid tua wyth mil o bobl y flwyddyn yn fan'no ac mae'n bosib bod hyd at bedair gwaith yn fwy na hynny wedi marw neu wedi eu lladd oherwydd eu gwendid, rywbryd yn ystod y daith. Rhwng y seithfed ganrif a'r bedwaredd ganrif ar bymtheg fe gipiwyd tua phedair miliwn o gaethweision o ddwyrain y cyfandir i wasanaethu yn y byd Arabaidd yn benna – llawer ohonyn nhw yn wragedd ac yn eunuchiaid i'r harîm. Un o'r masnachwyr gwaetha un oedd Tippu Tip, ŵyr i gaethwas a gafodd ei ryddhau – rhyw fath o Ddic Sion Dafydd ar raddfa llawer gwaeth.

Fel roedd y dydd yn dechrau crasu, roedd Swltan yn mynd i hwyl ac yn dal i barablu am ei ymroddiad i Man U ac fel roedd pobl wedi rhoi gwahanol bethau yn rhoddion iddo fo dros y blynyddoedd. Dywedodd fod ganddo fo bob mathau o ddilladach Man U a bod ganddo fo hyd yn oed het wlân a sgarff. A minnau'n dechrau toddi'n ara deg yng ngwres y dydd allwn i ddim dychmygu pryd fyddai o'n cael cyfle i wisgo'i het a'i sgarff na phwy ar wyneb daear fyddai wedi dod â'r fath bethau efo nhw i Kenya 'rhag ofn' y byddai hi'n oer.

Dangosodd Swltan y celloedd oedd wedi eu cloddio o gwrel solet i mi, ac esbonio mai dyna lle roedd y caethweision yn cael eu cadw fel anifeiliaid. Dangosodd yr olion lle roeddan nhw wedi trio crafu drwy'r muriau oedd mor gadarn a di-ildio â'u hanobaith nhw eu hunain. Dangosodd y pyrth isel a'r beddau bychain oedd wedi eu creu ar gyfer y Portiwgeaid a gladdwyd oddi mewn i furiau'r gaer. Pobl fyr oedd y Portiwgeaid, meddai Sultan. Roedd ei ddirmyg atyn nhw'n amlwg, ond go brin bod neb yn arbennig o dal yn yr ail ganrif ar bymtheg. Dangosodd eu heglwys i mi a'r *confusion box* oedd wedi goroesi.

Er gwaethaf ei falapropyddiaeth miniog, roedd Swltan yn ddiolchgar iawn am gael cyfle i ddysgu Saesneg. Hon oedd iaith addysg iddo fo. Mae'n debyg iddo fyw yn Llundain a gweithio fel gweithiwr cymdeithasol am sbel a dyna lle profodd o ei *lifestyle change*. Roedd y newid bywyd hwn yn beth mawr iddo, a Llundain a'r Saeson a Man U yn achubiaeth. Bron nad oeddwn i'n ei glywed o'n adrodd y mantra addysg, addysg, addysg. Roedd y Saeson wedi bod yn achubiaeth i Swltan mewn sawl ffordd. Wn i ddim oedd o wedi bod yn weithiwr cymdeithasol o unrhyw fath yn Llundain, wn i ddim fuodd o yn Llundain hyd yn oed, ond does dim dwywaith nad y Saeson achubodd ei gyndeidiau o gaethwasiaeth. Y Portiwgeaid a'r Arabiaid oedd baw isa'r doman yng ngolwg Swltan – bron nad oedd o'n poeri wrth eu henwi nhw. Roedd y Sieiniaid yn weddol barchus yn ei olwg oherwydd eu bod nhw'n gwrthod masnachu mewn caethweision, ond roedd o'n amau mai'r unig reswm am hynny oedd bod ganddyn nhw ddigon o gaethweision eu hunain adra. Yr achubwyr wrth gwrs oedd y Saeson. Yn dilyn adroddiad gan yr enwog Dr Livingstone, fe lwyddodd Llywodraeth Prydain i fwlio a pherswadio Swltan Barghash o Zanzibar i roi'r gorau i'r fasnach mewn caethweision ym 1873. Fe ddirywiodd y cymunedau Swahili ar yr arfordir ar ôl i'r fasnach ddod i ben ond yr hyn sy'n rhyfeddol ydy bod y fasnach anghyfreithlon wedi para am y rhan orau o ganrif nes i gaethwasiaeth gael ei wahardd yn Oman yn chwedegau'r ganrif ddiwetha.

Cyn gadael, mi ges i gyfarfod ag un o feibion Sultan. Mae o'n briod efo merch o Siapan nath o'i chyfarfod, medda fo, wrth dywys grŵp o gwmpas y gaer. Beth bynnag, fe gafodd gil-dwrn hael am fod yn gwmni difyr ac am fod fy nghydwybod yn dal i bigo ar ôl bod mor ffwrbwt efo'r cyfaill arall. Roedd gwên anferth ar wyneb Swltan a'r hogyn bach wrth iddyn nhw droi am adra – alla i ond gobeithio na fydd gormod ohono fo yn mynd i goffrau Man U.

Gadael y gaer a cherdded yn hyderus yn haul canol dydd, yn gwybod yn union sut i gyrraedd y ddinas fodern ac yn ôl i'r gwesty, nes i mi fynd ar goll. Cerdded yn fras ac yn fuan, yn gwybod yn iawn bod y farchnad ar gornel y stryd – nes 'mod i'n dod wyneb yn bared â'r mosg, neu swyddfa'r heddlu, neu'r caffi bûm i ynddo fo ynghynt. Ar ben y cwbwl, roedd y boi oedd wedi bod yn gysgod i mi y bore hwnnw yn gorweddian dan grechwen, yn ddiog a disymud ar gornel un o'r strydoedd, yn gwylio fy ymdrechion chwyslyd at ddianc o'r hen ddinas i strydoedd cyfochrog taclus y ddinas newydd. A doedd dim dwywaith nad oeddwn i'n chwysu. Roedd yr hances boced oedd am fy ngwddw yn diferu fel cadach gwlyb, fy nghrys-T yn drwm amdana i a 'nhrowsus hyd yn oed yn dechrau edrych fel petawn i wedi cael damwain gas iawn. Doedd gen i ddim dŵr ar ôl a nes i adael yr unig gap o gysgod oedd gen i ar ôl i Tukai a'i fêts. Dechrau meddwl am gyngor Henry a Jo ar Longonot ynglŷn â thrawiad haul, a dechrau poeni. Erbyn hyn, doedd gen i ddim hyd yn oed yr hyder dall oedd gen i hanner awr ynghynt 'mod i'n gwybod lle ro'n i'n mynd. Ro'n i'n tin-droi yn y niwl. Ro'n i ar goll ac ro'n i'n boeth. Ro'n i'n boeth iawn. Mae'n rhaid bod golwg flêr arna i oherwydd fe ddaeth dyn ifanc ata i a'i bryder yn ddigon amlwg fel nad oeddwn i'n amau am funud mai am fy helpu i oedd o.

"'Dach chi wedi cael gormod o haul. Ewch yn ôl i'r gwesty. Edrychwch. Ffordd yna. Troi i'r chwith unwaith a cherdded yn eich blaen heb droi oddi ar y ffordd o gwbwl ac fe ddowch chi at y farchnad."

"Diolch."

Dilyn ei gyfarwyddiadau a chyrraedd y farchnad ac ymhen dim roeddwn i'n ôl yn y gwesty. Gorwedd yno'n teimlo'n ddigon llegach. Llyncu'r ddiod halen a siwgwr, tynnu amdanaf a gorwedd yn noeth ar y gwely dan y ffan fawr oedd yn chwyrlïo'n wallgo uwch 'y mhen. Ddwyawr yn ddiweddarach, deffro yn dal yn boeth ond wedi rhoi'r gorau i chwysu o leia. Dwyawr o gwsg a hynny heb fod angen – mae'n rhaid bod 'y nghorff i'n trio dweud rhywbeth wrtha i. Rhywbeth tebyg i, 'dwyt ti ddim yn Sais nac yn gi gwallgo felly, fory, aros dan do dros ganol dydd.'

Golchi dillad yn y bore wrth gael cawod, a'u gadael nhw i sychu, ond o ystyried pa mor llaith oedd yr awyr, doeddwn i ddim yn dal fy ngwynt. Newid i ddillad sych a mentro allan. Crwydro'n ofalus ryw hanner canllath i lawr y stryd i gaffi mawr modern o'r enw The Blue Room. Caffi oedd yn darparu pob math o fwyd, bar hufen iâ, gwasanaethau llungopïo ac ystafell gyfrifiaduron. Ystafell gyfrifiaduron wedi ei hawyru. Ystafell gyfrifiaduron oer. Eistedd yno am oesoedd yn hwy nag oedd angen arna i er mwyn dweud wrth y rhai yng Nghymru oedd angen gwybod fy mod i ar y lôn. Teimlo'r awyr yn rhoi cadach ar fy nghroen, yn sychu ac yn oeri, ac er fy mod i'n dal i deimlo gwres y dydd yn codi i'r wyneb ac yn gwthio rhagor o chwys o'i flaen roedd yr awyr o 'nghwmpas i'n barod amdano fo ac yn barod i fy ymgeleddu i. Yn ara deg, roeddwn i'n dod ataf fy hun. Roeddwn i'n mwynhau'r oergell ac yn anghofio am y popty oedd yn 'y nisgwyl i y tu allan.

Camu allan a sylweddoli 'mod i wedi oeri digon i allu dygymod â haul a gwres y gyda'r nos. Bron nad oedd hi'n braf cael bod allan. Crwydro am ychydig cyn taro ar yr Eglwys Gaderiol eto a chofio 'mod i wedi addo i mi fy hun y byddwn i'n mynd i'r gwasanaeth.

Roedd hi'n ugain munud i chwech felly ro'n i braidd yn gynnar. Ista yn y cefn ar y dde yn ôl fy arfer fel 'mod i'n medru gweld pawb arall yn cyrraedd. Dweud gair dros hwn a'r llall ac arall a throsta fi fy hun yn fwy na neb gan 'mod i mewn lle mor wahanol. Darllen yr emynau a'r salm sawl tro cyn dechrau edrych o 'nghwmpas.

Deng munud i chwech. Dim ond y fi oedd yno. Eglwys nobl syml iawn ydy Eglwys Gadeiriol Mombasa. Eglwys dywyll a phoeth, â'r muriau gwynion a'r meinciau'n ddigon plaen. Fawr o ffrils. Ymhen sbel, fe ymddangosodd un o'r blaenoriaid o rywle i gynnau'r golau a'r ffan ac, wrth ei sodlau, fe ddaeth un arall i ffidlan efo'r meicroffon – yn union fel y bydd Dai Alun a Merfyn yn ei wneud yng Nghapel y Morfa yn Aberystwyth. Edrychon nhw braidd yn rhyfedd ar y crys rygbi Cymru oedd yn eistedd yn y cefn. Roeddwn i wedi newid o nghrys-T chwyslyd i liwiau Archesgob Caer-gaint. Ella y byddai hynny'n tynnu sgwrs efo rhywun. Diflannodd Dai a Merfyn a 'ngadael innau ar 'y mhen fy hun drachefn.

Pum munud i chwech. Dim sôn am neb. Roedd hi'n amlwg o'r cofebion ar y waliau mai eglwys yr *ex-pats* oedd hon, roeddan nhw'n frith o Bonham Carters, Jenkinsons, Grosvenor-Jonesys ac yn y blaen. Doedd dim gwydr ar y ffenestri, felly o leia fe ymunodd deryn bach efo fi – fo, fi a'r Bod Mawr mewn honglad o Eglwys Gadeiriol.

Chwech o'r gloch ac ro'n i'n dal i gadw cwmni i'r deryn. Mae'n debyg mai digon sigledig fu hanes Cristnogaeth ym Mombasa erioed. Yn yr ail ganrif ar bymtheg, mae'n debyg bod y trigolion yn cael tröedigaeth ddwywaith y flwyddyn. Pan fyddai'r Portiwgeaid yn hwylio i mewn ar naill wynt y monsŵn fe fydden nhw'n troi at Gristnogaeth, ond wrth i'r gormeswyr adael ar eu teithiau masnachu ar y gwynt arall fe fyddai'r trigolion yn troi'n ôl at Islam. Fe fydden nhw hefyd yn meddiannu'r gaer bob tro y byddai'r Armada'n gadael gan orfodi'r Portiwgeaid i'w hadfeddiannu hi pan fydden nhw'n dychwelyd. Mae'n amlwg bod yr Armada'n bell heno.

Am bum munud wedi chwech, nes i adael. Roedd Merfyn a Dai wedi bwrw golwg arna i unwaith o gyffiniau'r allor ond doedd neb wedi dod i ddweud helô – mae'n siŵr bod pêl-droed ar y teledu.

A minnau ganllath i lawr y lôn, fe ddechreuodd clychau'r eglwys wahodd tua'r llan. Ac mewn pwl o euogrwydd a gobaith y byddai pawb yn cyrraedd yn eu hamser Affricanaidd eu hunain dyma droi yn ôl. Ond doedd neb yno a'r deryn hyd yn oed wedi ei ddychryn gan y clychau. Eglwys yr *ex-pats* yn dilyn arferion crefyddol yr henwlad.

Holi'r ferch oedd wrth ddrws y gwesty, yr un un ag oedd wedi bod yno trwy'r dydd, oedd hi eisiau i mi dalu heno gan fy 'mod i'n gadael tua chwech bore fory.

"Na," meddai hithau. "Dwi yma trwy'r nos." Ac o weld yr olwg oedd ar fy wyneb i mae'n rhaid, ychwanegodd, "dach chi ddim 'di arfer gweithio oriau fel hyn yn Lloegar naddo?"

'Naddo,' meddwn innau wrthaf fi fy hun. 'Nac yng Nghymru chwaith.'

Menywod!

Kila ndege huruka kwa bawa lake

Mae pob aderyn yn hedfan ar ei adenydd ei hun

Un peth ydy gwneud cynlluniau – peth cwbl wahanol ydy cadw atyn nhw.

Ar ôl bod wrthi mor ofalus ddoe yn torri llwybrau newydd ac yn ymgynefino efo nhw, dyma fi heddiw yn ddigon gwirion â derbyn cyngor y ferch wrth y ddesg yn y gwesty ynglŷn â sut i gyrraedd y bws. Codi am chwech, pacio'r ddau sach a stryffaglu efo'r naill ar 'y nghefn a'r llall yn fy llaw i lawr y grisiau cul i dalu. Y ferch yn holi lle ro'n i'n mynd a finna'n dweud 'mod i'n dal y bws i Malindi o'r fan a'r fan.

"Tro i'r chwith ac i lawr y ffordd am ryw hanner milltir a thro i'r dde a byddi di yno."

"O'n i'n meddwl mai i'r dde ro'n i angen mynd ar ôl mynd trwy'r drws yn fan'ma?"

"Na, na – i'r chwith, a byddi di yno cyn i ti droi."

Ac oeddwn, roeddwn i yno – ond bod yr 'yno' hwnnw yn 'yno' gwahanol i'r un ro'n i isio. Oedd, roedd yno res o fysus ond bod pob un ohonyn nhw yn mynd i gyfeiriad Nairobi a finna angen mynd am Malindi. Melltithio'r ferch – 'fyddi di yno cyn i ti droi'. Troi a cherdded yn ôl i gyfeiriad y gwesty. Mae'n siŵr bod ffordd rwydd o lle roeddwn i i lle roeddwn i isio mynd heb fynd yn ôl i'r gwesty – mynd o A i C heb fynd yn ôl i B – ond fe fyddwn i'n siŵr o golli fy ffordd yn waeth byth petawn i'n trio. Felly, ar ôl codi mewn da bryd, roeddwn i'n stryffaglu ar frys gwyllt efo dau sach ar hyd strydoedd plygeiniol Mombasa yn chwilio am fws fyddai'n mynd â fi i Malindi. Roeddwn i'n llythrennol yn chwys diferu a 'nillad glân sych i'n teimlo fel petawn i ond newydd eu tynnu nhw ar ôl antur prynhawn ddoe. Dwi'n siŵr 'mod i wedi gweld y tywysydd gafodd gam gen i yn gwenu fel giât dan ei blanced o lwch ar gornel stryd yn rhywle, ond doeddwn i ddim isio gwybod.

Dod o hyd i'r gwesty a dilyn y llwybr roeddwn i wedi ei drefnu i mi fy hun. Cyrraedd y ffordd a baglu heibio i hanner dwsin o wahanol fysus oedd yn mynd am Malindi wrth chwilio am yr un roeddwn i wedi addo 'mhres tocyn iddo fo brynhawn ddoe. Erbyn meddwl, â finna mewn peryg o golli'r bws beth bynnag, roedd hwn yn deyrngarwch y tu hwnt i bob rheswm. Ond roedd o yno a'r gyrrwr yn 'y nisgwyl i – teyrngarwch nad oedd y tu hwnt i bob rheswm iddo fo, mae'n amlwg. Baglu ar y bws â phawb arall yn edrych fel petaen nhw newydd fod trwy'r peiriant golchi a than yr haearn smwddio ac wedi cael twtsh bach o bolish cyn dod allan. Eistedd yno yn fyr 'y ngwynt yn disgwyl i'r naill ddiferyn o chwys ar ôl y llall ddisgyn oddi ar flaen 'y nhrwyn. Chwarter i saith y bore oedd hi.

Ro'n i'n eistedd tua chefn y bws efo bachgen ifanc nad oedd ganddo fo'r diddordeb lleia mewn siarad efo fi er i mi ei gyfarch o dan ryw biffian chwerthin am 'y mhen fy hun a 'nghyflwr truenus. Mi ges i ryw olwg fydol ganddo fo oedd yn dweud wrtha i ei fod o'n cytuno bod golwg y diawl arna i ac fe dreuliodd weddill y daith yn syllu allan trwy'r ffenest. Doedd gan neb arall o 'nghwmpas i fawr o ddiddordeb yno' i chwaith. Byddech chi'n meddwl 'mod i'n drewi neu rywbeth. Mae'n siŵr 'mod i. Bore da, bawb.

Er 'mod i'n eistedd tua'r cefn, roedd darn go bwysig ohona i gryn bellter i ffwrdd. Mynnodd y gyrrwr 'mod i'n gadael y sach mawr ar y darn gwag oedd wrth ochr ei sedd o. Gwneud hynny ond sylweddoli bod degau o bobl yn mynd i gerdded heibio iddo fo wrth ddringo ar y bws ac wrth adael ac y gallai unrhyw un afael yn y sach a rhedeg. Erbyn meddwl, doedd dim modd i mi fod wedi dod â fo efo fi i'r sedd gefn ac mae'n siŵr ei fod o'n saffach lle roedd o nag yn y gwagle o dan y bws heb neb i gadw golwg arno fo. Treulio awr gynta'r daith yn trio dychmygu sut beth fyddai cwblhau gweddill y daith heb y pethau sydd yn y sach. Cysuro fy hun fod y pethau gwirioneddol bwysig yn y sach bychan wrth fy nhraed. Codi hwnnw a'i wasgu'n dynn rhwng fy nghluniau a thrio cadw llygad ar y gornel fechan o din y sach mawr oedd yn dod i'r golwg bob ryw hyn a hyn.

Troi fy sylw at nofel *The Power of One* a chyn pen dim roeddwn i wedi hen adael Kenya am Dde Affrica ac wedi ymgolli yn antur bachgen gwyn wrth iddo fo ddygymod â'r rhagfarn yn erbyn pobl dduon a'i ymdrech o i unioni'r cam. Roedd hon wedi bod yn fy sach i ers cychwyn y daith ond nad oeddwn wedi cael amser i ddarllen rhwng camu oddi ar yr awyren yn Nairobi hyd yn awr. O ganlyniad, roedd hi hefyd wedi bod mewn dwy storm o law taranau nad oedd gan y sach druan obaith o'i chysgodi hi rhagddyn nhw. Roedd hi fel petai hi'n hen ac yn afiach ac ar steroids – wedi chwyddo'n fawr a di-siap, yn drewi ac yn rhyfedd o fregus. Ond roedd ganddi gythgam o stori i'w dweud ac fe wnes i anghofio'n llwyr am fy nghyfyng-gyngor ynglŷn â'r sach mewn dim o dro.

Yn ôl y *Lonely Planet*, roedd y daith hon i fod i gymryd dros dair awr ond ar ôl dwyawr fe arhosodd y bws ac roedd hi'n amlwg bod disgwyl i mi adael. Roeddwn i ym Malindi. Tre fechan digon tawel a hynafol yr olwg. Camu oddi ar y bws a theimlo'n od, yn reit amddifad a disylw. Doedd neb yn cymryd sylw ohona i; doedd dim haid o yrwyr tacsi, neb am gario 'mag i, neb am fy arwain o gwmpas rhyfeddodau'r dre nac i'r gwesty gorau a rhata yn y byd. Cychwyn fel petawn i'n cymryd 'y nghamau cynta a mentro torri ar lonyddwch y gyrrwr tacsi cynta welwn i a'i holi a allai o fynd â fi i Fythynnod Moriema. Cytunodd efo gwên radlon.

Unwaith roeddan ni allan o ganol Malindi, roedd fel petaen ni wedi ein trosglwyddo mewn llong ofod hudol i'r Rhyl. O galon hynafol y dre a'i gwe o strydoedd cam, estynnai un wythïen hir, syth â siopau anrhegion, archfarchnadoedd, tafarnau, gwestai a bwytai fel colesterol wedi casglu o boptu iddi. Ac, yn ôl y gyrrwr, roedd y cyfan wedi casglu yn yr ugain mlynedd diwetha ers i'r Eidalwyr ddarganfod y lle. Yn wahanol i Nairobi a Mombasa, roedd arwyddion Malindi mewn iaith ddieithr. Nid Swahili ond Eidaleg. Tra oedd y Prydeinwyr a'r Americanwyr yn darganfod traethau eraill ar hyd yr arfordir yn wythdegau'r ganrif ddiwetha roedd yr Eidalwyr wedi llwyddo i goloneiddio fan'ma.

Gyrru trwy'r datblygiad gyda'r plant bach ar ochr y stryd yn gweiddi 'Ciao' arna i trwy'r ffenest, a throi i lawr lôn fach gul, gysgodol a chyrraedd Bythynnod Moriema. Clwstwr o fythynnod mewn coedlan fechan. Hyd y gwelwn i, fi oedd yr unig un yn yr holl le. Am bris rhesymol iawn fe ges i fwthyn i mi fy hun. Un ystafell fawr yn rhedeg ar hyd yr adeilad efo dau wely dwbwl mewn un pen a bwrdd a chadeiriau yn y pen arall. Yn rhes gul ar hyd cefn y tŷ - cegin, tŷ bach a chawod. Talu a gofyn i'r gyrrwr i ddod yn ôl ymhen yr awr.

Nes i sylweddoli'n fuan nad oeddwn i ddim wedi cael y lle i mi fy hun wedi'r cwbwl. Roedd y lle'n fyw o forgrug. Ro'n i wedi darllen am bryfetach rhyfeddol Kenya – y pethau sy'n cael eu hadnabod yn gyffredinol fel *dudus*. Mae 'na hysbysebion am gemegyn i'w gweld yn brolio yn

Saesneg, '*kills all dudus dead!*' Mae 'na bry cop sydd â'r enw rhyfeddol *Mombasa golden starburst baboon spider* sy'n cael ei ystyried fel tarantiwla bychan am nad ydy o'n tyfu i fawr mwy na 12cm. Ac wedyn y gwaetha o'r cwbwl mae'n debyg ydy'r morgrug saffari – morgrug mawr coch sy'n llifo dros y wlad fel llanw anferth ac yn bwyta popeth sydd ar eu llwybrau. Dwi'n meddwl bod fy morgrug i'n reit ddiniwed o'u cymharu â'r rhain. Mentro i mewn i'r gawod efo nhw cyn cychwyn allan am y dydd.

Cyn i mi droi, roedd hi'n ddeg o'r gloch a'r tacsi'n disgwyl amdana i. Hogyn ifanc, rhadlon, llond ei groen oedd Ifas y gyrrwr. Dyna sut y cyflwynodd o'i hun i mi.

"Evans yw fy enw i."

Wydda fo ddim bod ei enw fo'n gyffredin iawn yng Nghymru. Enw un o berchnogion ei gyndeidiau, debyg. Gan ei fod o'r un enw ag un o fy ffrindiau gorau a'i fod o'n debyg iawn o ran ei gymeriad hefyd, mi nes i gymryd at Ifas y Tacsi ar unwaith a'i holi fydda fo'n fodlon mynd â fi o le i le am weddill y dydd.

Adfeilion Gede oedd y lle cynta roeddwn i am fynd iddo fo. Roedd rhain tua deng milltir tu allan i'r dre. Tynnu at ei ugain oedd Ifas a newydd brynu ei gerbyd ei hun ac yn gweithio'n galed i dalu amdano fo, medda fo. Doedd o ddim yn briod ond fe fyddai'n priodi unwaith y byddai ei gariad wedi gorffen yn yr ysgol. Doedd dim diben sôn wrth hwn am gefnogi Man U – dim ond am Arsenal roedd hwn isio siarad.

Cyrraedd Gede. Rêl adfeilion Indiana Jones. Pentre

cyfan wedi ei ddarganfod â'r jyngl yn drwch amdano fo fel gwe am ryw hen, hen drysor roedd pawb wedi ei anghofio. Yr hyn sy'n rhyfeddol am y lle, ac yn ychwanegu'n arw at ei ddirgelwch, ydy nad oes dim un cyfeiriad ato mewn unrhyw ddogfennau hanesyddol. Does dim tystiolaeth am ei fodolaeth wedi goroesi. Mae tystiolaeth archeolegol yn dangos bod y dref yn ei hanterth erbyn y drydedd ganrif ar ddeg o leia achos bod crochenwaith Ming a gwydr o Persia wedi eu darganfod yno yn brawf o fasnach iach a hynny mewn darnau moethus ar gyfer y cyfoethogion. Darganfuwyd tai a phlastai a mosg a chladdfeydd crand.

Ond rhyfeddod y lle ydy bod y bobl wedi cefnu arno dros nos ac anghofio amdano'n gyfan gwbl. Y gred ar hyn o bryd ydy bod hyn wedi digwydd yn ystod yr ail ganrif ar bymtheg neu'r ddeunawfed ganrif wrth iddyn nhw ddiodda ymosodiadau gan y Portiwgeaid ar y naill du a chanibaliaid y Zimba ar y llall, yn union fel y dioddefodd Mombasa. Ond gall mai newid yn yr hinsawdd oedd yn gyfrifol – does dim dŵr croyw yn unrhyw un o ffynhonnau Gede heddiw. Gall fod lefel dŵr y môr wedi codi a halltu'r dŵr yfed – fe fyddai'n egluro pam fod pawb wedi gadael ar unwaith a heb ddychwelyd.

Beth bynnag, cefnwyd ar y ddinas ac fe'i hanweswyd gan y goedwig nes i ryw anturiaethwr daro ar y lle tua 1920. Bellach, daethpwyd o hyd i bob math o bethau yno. Tai anferth efo system garthffosiaeth digon nodedig. Y tu allan i'r mosg mae cafn molchi seremonïol lle roedd yr addolwyr yn gorfod ymolchi'n ddefodol cyn mynd i mewn i addoli. Mae'n debyg mai'r drefn oedd codi dŵr o'r ffynnon, golchi'r dwylo a golchi'r geg dair gwaith, wedyn dal llond llaw o ddŵr yng nghwpan y llaw dde a'i snwyro fo i fyny'r ffroen dde, dal y ffroen a chwythu'r dŵr allan drwy'r ffroen chwith a gwneud hyn dair gwaith cyn golchi'r wyneb, y breichiau a'r traed.

Gadael yr adfeilion â 'mhen yn llawn syniadau carlamus am hanes y lle rhyfeddol yma. Dod o hyd i Ifas a gofyn iddo fo fynd â fi i gyfeiriad y fferm grocodeils.

Gyrru cryn bellter i ochr arall y dre. Doedd y tymor twristiaeth ddim yn ei anterth – os oes 'na dymor twristiaeth o gwbl yn y dyddiau helbulus yma ar ôl Medi'r 11eg – a doedd y fferm grocodeils ddim ar ei mwya bywiog. Talu i fynd i mewn ac fe ddaeth Ifas i mewn yn fy sgil gan guddio tu ôl i'w wên ddireidus wrth gerdded heibio i'r wraig fawr wrth y giât. Digon diog a digalon yr olwg oedd y trigolion. Bocsys bychan gwydr digon bregus yn cynnwys nadroedd

oedd, yn ôl y label, yn ddigon gwenwynig i ladd rhywun ar ddim. Doedd y bocs ddim yn ymddangos fel llawer o amddiffyniad petai'r neidar wirioneddol awydd tamad – ond doedd yr un yn edrych fel petai ganddyn nhw fawr o awydd symud. Roeddan nhw'n unig, di-liw a di-fflach. Cynigiodd y ddynes roid peithon mawr am fy ngwddw i, ac, wrth reswm, gan nad oeddwn i ddim am ymddangos yn llwfr, dyma fynd amdani. Teimlo'n reit hyderus am sbel. Doedd hi ddim yn oer fel bydda rhywun yn disgwyl i nadroedd adra fod gan fod yr awyr yn gynnes. Ond, ymhen dim, dyma hi'n dechrau closio a gwasgu am 'y ngwddw i fel rhyw hen fraich digon annerbyniol ym mar cefn yr Angel yn Aberystwyth yn oriau mân nos Sadwrn wyllt. Gollyngais hi'n sydyn a mynd i chwilio am y crocodeilod.

Roedd y crocs yn yr un math o gyflwr â'r nadroedd – degau ohonyn nhw mewn corlannau pren a'r cwbwl wedi troi eu cynffonnau at y pyllau gwyrdd trioglyd fel petai'r dŵr yn rhy ffiaidd hyd yn oed i grocodeil. Trefnwyd y pyllau yn ôl oedran y trigolion. Crocodeils bychan bach, rhai chwe mis, blwydd, dyflwydd a theirblwydd, yn domenni llonydd fel pentyrrau o goed tân yn disgwyl am y gaea yng ngwres yr haul. Ond erbyn iddyn nhw gyrraedd y gorlan ola, roedd golwg dda arnyn nhw, a phob un yn cael cymaint o barch nes bod sglein iach ar eu crwyn nhw. Hon oedd y siop. Y fferm wedi gwneud ei gwaith a'r crocodeilod druan yn *handbags* a sgidiau a beltiau o bob lliw a llun. Dim gwahanol i unrhyw siop fferm yng Nghymru, am wn i. Methu dewis *handbag* oedd yn fy siwtio i a throi yn ôl am y bwthyn.

Aeth Ifas â fi i chwilio am docyn bws i Lamu ar gyfer y bore. Do'n i ddim yn siŵr oedd angen trefnu gymaint ymlaen llaw ond y fo oedd y bos. Erbyn gweld, ro'n i'n lwcus ei fod o'n deall ei bethau. Gan fod y daith i Lamu yn cymryd saith neu wyth awr, ro'n i'n awyddus i gychwyn cyn gynted â bo modd ond roedd y bws saith yn llawn eisoes a doedd y nesa ddim yn gadael tan hanner awr wedi wyth. Bachu 'nhocyn a diolch i Ifas am ei help. Addawodd o fod wrth y bwythyn am wyth y bore mewn da bryd i fynd â fi i ddal y bws.

Erbyn hyn roedd hi'n amser cinio felly dyma'i throi hi am y dre i chwilio am fwyd. Mentro i'r dafarn gynta welwn i.

Roedd rhywbeth ystrydebol fel cerdyn post ynglŷn â hi. Bar crwn awyr agored a tho gwellt drosto fo a chadeiriau a byrddau o'i gwmpas. Gan mai ychydig iawn o fwyd traddodiadol roeddwn i wedi ei brofi ers bod yn Kenya dyma holi a gawn i blatiad o *nyama choma*, sef bwyd traddodiadol y Keniaid mae'n debyg. Platiad o gig oddi ar y barbaciw ydy o, digon o waed a saim a dim sôn am gyllell a fforc – bys a bawd a dannedd amdani. Mae rhywun yn archebu'r pryd yn ôl y pwys ac mae o'n dod ar blât wedi ei dorri'n ddarnau mân. Cig gafr sydd fwya cyffredin. Mae'n debyg mai fersiwn crand o'r *nyama choma* gawson ni yn Carniovores y noson o'r blaen. Ond roedd hyn yn waith caled iawn o'i gymharu â hynny – hanner awr dda o dynnu a brathu a chnoi fel dyn oes yr ogof nes bod gên rhywun yn bynafyd.

Erbyn gorffen ro'n i wedi ymlâdd ac ro'n i wirioneddol angen ail botel o Tusker i olchi'r cyfan i lawr. Roedd y bar yn brysur iawn o ystyried nad oedd hi ond canol dydd. Cymysgedd o bobl ifanc tywyll eu crwyn ac Eidalwyr canol oed. Merched mewn ffrogiau oedd wedi eu cynllunio ar gyfer ganol nos yn hytrach na chanol dydd a bechgyn yn cadw cwmni i ferched oedd yn ddigon hen i fod yn famau iddyn nhw. O dipyn i beth, fe wawriodd arna i fod y bechgyn a'r merched fel ei gilydd yn buteiniaid. Pob un â'i bartner. Pob un yn ifanc hyderus ond yn dynn ar dennyn llygaid yr Eidalwyr hŷn. Un gwg, un winc, un edrychiad, ac fe fydden nhw'n ôl wrth eu sodlau. Y merched yn tueddu i lynu mwy at ochrau'r dynion, a'r bechgyn yn fwy annibynnol ond bod y gwragedd i'w gweld yn mwyhau eu rheoli nhw, eu ceryddu nhw a'u gwawdio nhw'n fwy, fel petaen nhw'n chwara rôl oedd wedi ei sgwennu ar eu cyfer nhw. Croen cyfoethog, llac, wedi melynu yn yr haul yn manteisio ar groen ifanc, tywyll, tyn a thlawd, a'r cyfan fel petaen nhw'n chwerthin yn wyneb HIV ac AIDS – y naill garfan o ddifaterwch gwallgo a'r llall o reidrwydd trasig, am wn i.

Sylwi wrth adael mai enw'r lle oedd *The Star and Garter*. Pam bod Eidalwyr yn codi tafarn yng nghanol yr holl pizzarias ac archfarchnadoedd Eidalaidd ac yn rhoi enw Saesneg arni? Ond beth bynnag am yr iaith, roedd yr enw'n addas iawn.

Troi'n ôl am y bwthyn a threulio'r prynhawn rhwng cloriau'r nofel. Bron nad oeddwn i'n teimlo'n euog am wneud hynny. Dyma fi yn y wlad ffantastig yma yn eistedd yn darllen nofel allwn i fod wedi ei darllen adre yng Nghymru. Atgoffa fy hun ar ddiwedd pob pennod 'mod i ar fy ngwyliau, ac ailgydio yn y stori.

Cyn i mi droi, roedd hi'n tywyllu a'r *nyama choma* wedi symud i wneud lle i rywbeth arall. Mae rhywbeth arbennig o dda am nofel fawr drwchus â stori dda yn carlamu drwyddi – bron nad ydy hi'n debyg iawn i fod ar wyliau estynedig fel hwn. Mae rhywun yn medru mwynhau pob munud ac aros bob yn hyn a hyn gan ymhyfrydu bod yna gannoedd o dudalennau neu rai wythnosau ar ôl cyn gorffen. Gollwng y llyfr a gadael i'r cymeriadau siarad ymysg ei gilydd tra oeddwn i'n cydio yn *Dail Pren* a gadael iddo fo lithro'n daclus i boced coes fy nhrowsus, cyn ei throi hi am y lle pizza ar waelod y lôn am swper.

Cyrraedd y bar – lle mawr gwag, gweddol foethus, â

gweinydd yn disgwyl i groesawu rhywun a chymeryd archeb am gwrw. Eistedd a darllen chydig ar Waldo wrth ddisgwyl am fy niod a chyn archebu 'mwyd. Fel ro'n i'n gorffen darllen 'Yn y tŷ' am y canfed tro ac yn troi'r dudalen i ddechrau darllen 'Menywod' dyma ferch ifanc yn dod at y bwrdd ac yn gofyn a gai hi eistedd efo fi.

"Cei siŵr," meddai 'nhafod byrbwyll i.

'Paid â bod yn blydi stiwpid,' medda 'mhen sinigaidd i.

Fy mhen sinigaidd i oedd yn iawn wrth gwrs. Cyn iddi osod ei chlun lluniaidd ar y gadair a'i thynnu hi'n nes at fy un i, roedd hi wedi gwawrio arna i fod hon yn disgwyl i mi wario ar damaid ychydig yn wahanol a llawer mwy blasus na'r pizza ro'n i ar fin ei harchebu. Roedd hi'n gynnes yn y bar ond nid dyna oedd yn gwneud i mi chwysu erbyn hyn.

Cyflwynodd ei hun. Jean oedd ei henw hi. Holodd fy enw i.

"Arwel," meddwn inna.

"O ble ti'n dod?"

"O Gymru. Ti'n gwybod am Gymru... ?"

Be o'n i'n wneud yn mân siarad efo hon? Troi'n ôl at Waldo...

> Mi baentiwn ddarlun Phebi'r Ddôl
> Yn magu Sioni bach mewn siôl.

Ond roedd Jean â'i gwên wen a'i llygaid meddal yn mynnu torri ar draws Phebi druan...

"Am faint wyt ti ym Malindi?"

"Dim gwerth. Dwi'n gadael ben bore fory. Dim ond aros noson ar fy ffordd i Lamu."

Aros noson! Dyna beth gwirion i'w ddweud...

"Ga i ddod efo chdi?"

"Na chei!"

Ac wedyn...

"Mae Waldo Willaims yn fardd da iawn, sdi... "

Do'n i ddim yn coelio fy nghlustiau fy hun. Ro'n i newydd ddweud wrth butain ym Malindi fod Waldo'n fardd da. Tybed oedd ganddi ddiddordeb yn T H Parry-Williams hefyd?

Cyrhaeddodd y gweinydd. "Be gymerwch chi, syr?"

"Tusker arall a phizza efo chilli a pepperoni, os gwelwch yn dda."

"Ac un i mi," meddai Jean gan glosio eto.

Cododd y gweinydd ei aeliau.

"A Tusker i Jean."

Disgynnodd diferyn o chwys oddi ar flaen 'y nhrwyn fel ro'n i'n siarad.

Syllu ar 'Menywod'.

> Mi gerfiwn wyneb Bet Glan-rhyd
> Yn gryf, yn hagr, yn fyw i gyd.

Methu'n lân a gweld wyneb hagar Bet. Gweld dim ond corff lluniaidd y ferch wrth fy ochr i mewn denim oedd yn dynn ac yn siapus o'i ddewis ei hun a hances o flows wen oedd fel stremp o baent ar ei chnawd tywyll tywyll.

Cyrhaeddodd y diodydd. Yfai Jean yn araf awgrymog o'i photel a gadael i'w llygaid wenu arna i. Dal fy hun yn mwynhau'r olygfa. Mewn unrhyw sefyllfa arall, byddai sylw fel hyn yn nefoedd a fyddwn i ddim yn dychmygu ei hanwybyddu hi. Ond mewn unrhyw sefyllfa arall, fyddwn i ddim yn cael sylw fel hyn gan ferch fel hon ac mae'n fwy na thebyg mai hi fyddai'n fy anwybyddu i. Troi'n ôl at ferched Waldo.

> Sgrifennwn ddrama Sali'r Crydd
> Yn lladd ellyllon ffawd â'i ffydd.

"Wyt ti'n teithio'r byd?"

"Na – jyst Kenya."

"Wyt ti ar dy ben dy hun bach?"

"Ydw."

Na – mae 'ngwraig, y plant a'r fam-yng-nghyfraith yn mynd i gyrraedd unrhyw funud...

Roedd hyn yn mynd o ddrwg i waeth. Y troeon dwi wedi dod ar draws puteiniaid o'r blaen maen nhw wedi bod ar ochr stryd ac roedd rhywun yn medru cerdded heibio, gwrthod eu cynigion a'u hanwybyddu nhw'n llwyr. Ond sut roedd dweud wrth hon, oedd wên yn wên a chlun yng nghlun â mi, am ei gwadnu hi heb fod yn ofnadwy o ddigywilydd a chas. Do'n i ddim hyd yn oed yn coelio 'mod i'n gofyn y fath gwestiwn i mi fy hun. Doedd o ddim fel petai cywilydd yn ei geiriadur hi.

Wrth i'w gwên droi'n grechwen ac i minnau sychu'r chwys oddi ar fy wyneb am y canfed tro, daeth y bwyd.

"Pizza, syr?"

"Diolch. Esgusoda fi – wyt ti'n fodlon gadael rŵan i mi gael bwyta fy mwyd?"

"'Na i eistedd yma'n dawel. 'Na i ddim dweud gair. Wir yr."

"Na. Plîs? Nei di fynd rŵan, plîs?"

"O. OK, ta... Wyt ti isio i mi ddod... nes 'mlaen?"

"Nac ydw! Dos!"

Ac fe siglodd draw yn goesau i gyd i eistedd at fwrdd arall efo merch tua'r un oed â hi.

Fe drodd yr ochenaid o ryddhad yn chwerthiniad o ryddhad. Ac os o'n i'n chwerthin ac yn meddwl am y stori oedd gen i i'w dweud mae'n siŵr ei bod hithau yn ei helfen yn dweud wrth ei ffrind am y Cymro diniwed yn gwrido ac yn chwysu wrth drio darllen ei farddoniaeth, sgwrsio'n garbwl a'i llygadu hithau 'run pryd. Go brin ei bod hi wedi dod ar draws y fath ddiniweidrwydd – na neb oedd gymaint o ofn HIV ac AIDS chwaith mae'n amlwg.

Llowcio fy mhizza a thalu.

"A diod y ferch ifanc, syr?"

"Ia – a diod y ferch ifanc." Roedd hi'n haeddu cymaint â hynny am ei hamser, druan.

Cyn hylled â chath Lamu

Fuata nyuki, ule asali

Dilynwch y gwenyn a bwytewch fêl

Roedd Ifas yn disgwyl amdana i wrth i mi adael y bwthyn, a chyrhaeddais y bws mewn da bryd ar gyfer hanner awr wedi wyth, pan oedd o i fod i adael. Oedd, roedd y bws yn hwyr ar gyfer taith oedd yn mynd i gymryd saith neu wyth awr beth bynnag.

Sefyll ar sgwâr Malindi yn wynebu'r adeilad hylla ar wyneb daear, oni bai am Eglwys Babyddol Amlwch – gwesty rhad oedd wedi ei beintio o'i grib i'w riniog yn felyn a du fel ei fod o'n un hysbyseb anferth i gwrw Tusker. Hyfryd – os nad oedd rhywun wedi cael gormod o Tusker y noson gynt.

Am y tro cynta ers gadael Nairobi, mi ges i gwmni gorllewinol. Eidalwr canol oed oedd Antonio a, chyn pen dim, cyrhaeddodd tair Almaenes ifanc gan eistedd yn goelcerth o goesau a sachau, llyfrau a phapurau newydd ar lawr. Dweud rhywfaint o hanes fy helbul efo Jean neithiwr a chael ar ddeall gan Antonio fod hanner puteiniaid Kenya gyfan yn gweithio ym Malindi. A ddylwn i fod yn flin mai dim ond un cynnig ges i?

Aeth hi'n dawel rhyngon ni am sbel. Sefyll yno yn gwylio'r bobl yn mynd a dod. Aeth un dyn heibio gan wgu cymaint nes bod 'na blyg yn ei dalcen a'i fod o'r un fath yn union â Lieutenant Warf y Klingon sy'n Swyddog Diogelwch yn *Star Trek: The Next Generation*. Sawl dyn yn gyrru heibio ar 'feic braich'. Dynion oedd wedi colli defnydd eu coesau oedd yn gyrru'r beiciau hyn, oedd wedi eu haddasu fel eu bod nhw'n pedlo efo'u breichiau.

Aeth dyn arall heibio gan bwyso'n falch ar ffon gerdded delesgopig debyg i'r rhai y bydd cerddwyr mynyddoedd yn eu defnyddio. Soniodd Henry wrth i ni orffen y daith fod llawer iawn o'r rhai sy'n mynd ar drec tebyg i'r un wnaethon ni heb wneud unrhyw beth tebyg o'r blaen. Maen nhw'n prynu'r dillad a'r offer gorau i gyd ac wedyn yn cael cymaint o sioc bod y daith mor galed nes eu bod nhw'n penderfynu na fyddan nhw fyth yn cerdded yr un mynydd eto ac yn gadael yr holl gêr drud roeddan nhw wedi ei brynu ar ôl. Mae'n siŵr mai gan rywun tebyg i hynny roedd y gŵr bonheddig hwn wedi cael ei ffon.

Roedd hi'n ddifyr iawn gweld y merched yn cerdded heibio yn eu *bui-bui* – y dilledyn du sy'n eu gorchuddio o'u corun i'w sawdl – yn benna am nad oedd o'n llwyddo i'w cuddio nhw i gyd. Cael ambell i gip ar yr hyn roedd y dilledyn fod yn ei guddio, cip ar y person oedd yn cael ei gaethiwo dan y duwch llethol. Wrth iddyn nhw ymlwybro heibio, roedd modd gweld ambell i gudyn o wallt wedi ei liwio'n felyn yn dianc o dan y benwisg neu fodfedd neu ddwy o odrau llydan pâr o ddenims blêr yn sbecian fel plentyn yn edrych drwy'r llenni oddi ar y llwyfan cyn drama'r ysgol.

Am hanner awr wedi naw, fe gyrhaeddodd y bws. Roedd sôn yn y *Lonely Planet* bod y ffordd rhwng Malindi a Lamu yn beryglus am fod yr ardal yn ganolbwynt rhyfeloedd rhwng gwahanol lwythi a bod lladron pen ffordd yn ymosod ar y bysus. I'n hamddiffyn rhag hyn, mae'n debyg bod gwarchodwyr arfog ar bob cerbyd a bod y bysus yn teithio mewn carafán yn un gynffon hir. Doedd dim sôn am unrhyw fws arall a dim golwg o warchodwyr arfog ond fe gychwynnodd y bws beth bynnag. Gosodwyd y gymuned Ewropeaidd yn un rhes daclus ar y sedd gefn. A dweud y gwir, roedd y gyrrwr wedi hel pobl o'u sêt i wneud lle i ni eistedd yn fan'no. Wn i ddim oedd hyn yn rhyw fath o wahaniaethu ar sail lliw, o blaid nac yn erbyn, ond doeddwn i ddim yn mynd i ddadlau a gwneud taith hir yn hwy.

Eistedd wrth y ffenest yn y sedd gefn a gwylio'r byd yn gwibio heibio. Wrth i'r bws arafu i ollwng teithwyr a chodi rhagor, roedden ni'n cael cynnig prynu pob mathau o nwyddau defnyddiol, difyr a rhyfeddol. Cawson ni gynnig rhyw fath o daffi triog, bisgedi, cnau a diod oer. Nes i edrych yn rhyfedd iawn ar un ddynes geisiodd werthu hanner dwsin o wyau i mi ac mae'n rhaid i mi gyfadde 'mod i wedi chwerthin yn uchel pan gynigiodd ei ffrind werthu'r iâr i mi.

Ymhen hir a hwyr, ymunodd dau filwr â ni ar y bws a'r ddau yn cario reiffl go beryglus yr olwg. Wn i ddim pryd oeddwn i fwya nerfus – yn meddwl am wynebu'r lladron pen-ffordd heb unrhyw amddiffyniad neu rŵan ein bod ni yng nghwmni dau wn, yn enwedig o gofio cyngor Henry bod gynnau yn tueddu i ladd y bobl anghywir. Sylwi wrth gymharu'r arwyddion ffyrdd efo'r map syml yn y llyfr ein bod ni'n teithio gryn dipyn yn gynt na'r disgwyl.

Claddu 'mhen yn y nofel a theimlo fy hun yn hiraethu am y cymeriadau rhyfeddol oedd ynddi hyd yn oed cyn i mi gyrraedd y diwedd. Ei gorffen hi a'i rhoi hi i un o'r merched. Tybed pa mor bell y byddai nofel fel 'na yn teithio yn ystod ei hoes. Cychwyn yn syth ar nofel fer gan Ruth Rendel ro'n i wedi ei chael gan Sally yn ystod y daith ond cyn i mi gael blas iawn arni roeddan ni wedi cyrraedd Mokowe lle roedd y cwch yn gadael am ynys Lamu. Tair awr a hanner gymerodd y daith – dim hyd yn oed yn agos at yr wyth awr roedd y *Lonely Planet* yn ei fygwth.

Roedd Antonio wedi trefnu'n union lle roedd o'n aros yn Lamu a hyd yn oed wedi trefnu i berson ddod i'w gyfarfod oddi ar y bws. Penderfynais innau lynu ato fo a cheisio cael lle yn yr un gwesty. O leia fe fyddai hynny'n golygu na fyddwn i'n cael gormod o helynt ar yr ochr draw efo pobl oedd am fy arwain i i westai nad oeddwn i ddim isio mynd iddyn nhw. Cyn i mi gamu oddi ar y bws roedd un boi wedi penderfynu mai fi fyddai ei darged o am y dydd. Fe lynais at fy nghynllun ac fe lynodd yntau ynof innau. Mynnais gario fy mag fy hun ond pan fu'n rhaid i mi ei ollwng a'i adael o i rywun arall ei lwytho ar y cwch, penderfynodd y brawd mai fo fyddai angel gwarcheidiol y sach. Roedd rhyw olwg tebyg i sbliff fawr wedi hanner ei smocio ar fy ngwarchodwr i; hen greadur hir a heglog, ei ddillad yn blygiadau drwyddyn nhw a'i wallt yn frith fel llwch tybaco. Ond ei ddannedd oedd y peth mwya arbennig amdano. Roeddan nhw fel petaen nhw i gyd wedi ffraeo efo'i gilydd ac yn mynnu troi eu cefn y naill ar y llall. Wynebai pob un gyfeiriad gwahanol a hyd yn oed pan gaeai ei geg yn dynn roedd un yn dal i drio dianc. Roedd fel petai yna gortyn anweledig yn gysylltiedig â fo a bod rhywun yn tynnu arno fo hynny fedran nhw ond ei fod o'n gwrthod ildio. Bron nad oedd ei ben yn cael ei dynnu ymlaen hyd yn oed.

Ro'n i wedi cyfri bod hanner cant ohonan ni yn y cwch pren pum troedfedd ar hugain. Ac eithrio'r pump ohonan ni oedd ar y bws, roedd pawb arall yn teithio i bwrpas; dyn tal trwsiadus â chês o bapurau yn ei law, dau blismon, mam ifanc â thri o blant, hen wraig â golwg bryderus arni a dynion ifanc â llwythi o nwyddau i'w gwerthu. Daeth dyn o gwmpas i hel tâl am y daith ac wrth iddo fo ymbalfalu o dan yr hanner dec oedd yn nhrwyn y cwch y gwnes i sylweddoli fod tua deg o ferched ifanc yn teithio yn fan'no. Ro'n i'n synnu bod ganddo fo'r wyneb i ofyn am bres.

Er gwaetha'r dorf a'r mwg a'r sŵn o'r injan olew, roedd y daith ar draws y culfor yn hudolus. Roedd hyd yn oed y môr o gylch Lamu yn awgrymu bod rhywbeth arbennig am y lle. Roedd y dŵr yn fflamgoch fel petai coelcerth gyfan wedi ei gwasgaru ar wyneb y tonnau heb i'r un o'i fflamau gael ei difa. Roedd dail y mangrof wedi disgyn yn hydref o liw i'r môr nes ei fod yn edrych fel pwll mawr yn llawn o bysgod aur, yn gonffeti o groeso i ynys baradwysaidd Lamu.

Cyrraedd, a dilyn Antonio i'r Sun Sail – gwesty braf ar lan y môr – a, do, fe ddilynodd Che finna (ro'n i wedi dysgu ei enw fo erbyn hyn). A dyna lle bûm i'n dyst i'r twyll mwya digywilydd i mi ei brofi eto ac, yn waeth na dim, er mai fi oedd yn cael fy nhwyllo, fedrwn i ddim meddwl am y geiriau na'r gweithredoedd na'r awydd i wneud dim am y peth ond rhyfeddu a chwerthin. Cerdded i mewn i'r gwesty a chael croeso à gwên mi-fydda'i-efo-chi-rŵan. Yn y cyfamser, aeth Che at y boi wrth y ddesg a dechrau siarad efo fo. Roedd hi mor amlwg i mi be roeddan nhw'n ddweud nes y gallen nhw'n hawdd fod wedi bod yn siarad Cymraeg glân gloyw.

"Deud ti wrth hwn bod y lle yma'n llawn er mwyn i mi fedru mynd â fo acw. Gei di ryw gildwrn bach gen i wedyn." Mewn Swahili rhugl, wrth reswm.

"Sori, syr, 'dan ni'n llawn heno." Mewn Saesneg mwy sigledig.

"Dewch efo fi," meddai Che. "Wn i am le da sy'n rhatach na fan'ma."

Syrpreis, syrpreis!

Cyn i ni adael, roedd gan y cythraul bach ddigon o wyneb i roi deg swllt a dwy sigarét i'w fêt tu ôl i'r ddesg o 'mlaen i fel tawn i'n ddall ac yn wirion beipan bost ar unwaith. Ac eto, ei ddilyn o nes i, dan feddwl pa mor rhyfedd oedd hi bod y llety yma'n llawn a finna wedi bod ar fy mhen fy hun ym mhob gwesty dwi wedi bod ynddo fo hyd yma.

Cyrraedd y lle roedd o'n ei ffafrio a sylweddoli ar unwaith bod yr hen foi'n dweud y gwir hyd yn oed os oedd o am y rhesymau cwbl anghywir. Roedd Tŷ Amu yn lle delfrydol. Tŷ mawr wedi ei addurno â phatrymau Swahili traddodiadol. Stafell braf, lle i eistedd yn yr haul ar y to a hamoc i orweddian ynddi dan gysgod to gwellt. Mi lwyddais i ostwng y pris o S2500 y noson i S1500 ac ro'n i'n gwybod y byddwn i'n ddigon bodlon yn fan'ma am weddill y gwyliau.

Mentro trwy'r strydoedd culion i chwilio am ginio hwyr. Tan yn ddiweddar, doedd dim un cerbyd yn cael ei yrru gan beiriant ar Lamu. Hyd yn oed heddiw, doedd dim ond pedwar – tractor, car, moto-beic ac ambiwlans. Y moto-beic oedd fwya defnyddiol gan ei fod o'n ddigon cul i ddygymod â'r strydoedd culion. Roedd y tractor yn mynd a dod ar hyd y cei, y car yn cael ei ddefnyddio ar un darn o lôn oedd wedi ei hadeiladu'n arbennig ar ei gyfer – a Duw a ŵyr sut roedd yr ambiwlans i fod i weithio.

Mulod oedd y dull gorau a mwya defnyddiol o deithio. Mul cul, cul ar gyfer strydoedd culion, culion. Mae'r tir yn codi'n syth bron o'r môr – does dim morfa gwastad na mangrof corsiog o gwmpas Lamu. Oherwydd hyn, roedd y strydoedd yn disgyn fel nentydd byrlymus i'r cei a'r mulod yn powlio i lawr yn drwm dan y sachau llawn oedd yn crogi o bobtu iddyn nhw. Y peryg mwya oedd eu bod nhw'n fulod tawel iawn. Allwn i daeru eu bod nhw'n gwisgo sliperi a chan eu bod nhw'n dod ar sbîd a heb fawr o rym yn eu brêcs, fe fydden nhw y tu ôl i rywun – yn ful a llwyth a marchog – cyn i mi eu clywed nhw'n dod. Ac ystyried bod cymaint ohonyn nhw yma doeddan nhw ddim hyd yn oed yn brefu ar ei gilydd – petaen nhw'n dechrau arni fe fyddai hwnnw yn berfformans a hanner.

Dod o hyd i gaffi digon posh yr olwg o'r enw Whispers a setlo yn fan'no am ychydig. Sylwi ar wraig wen olygus oedd newydd ddathlu ei phen blwydd yn ddeugain ond bod ei *facelifts* yn gwneud i'w chorff edrych yn drigain – *lamb tucked up as mutton*. Mae'n debyg mai hi oedd y perchennog a'i bod hi wedi bod yma ers blynyddoedd. Croesawodd nifer o westeion tra oeddwn i yno'n clustfeinio. Bron nad oedd hi'n cynnal llys a'r ymwelwyr yn bobl allai'n hawdd fod yn gynghorwyr neu wŷr busnes ac eraill yn fewnfudwyr fel hithau.

"Dyna i ti falchder y Zulu. Rhowch fodfedd i'r diawled ac fe gymeran nhw filltir. Bydd yn rhaid i ni wneud rhywbeth neu fe fyddan nhw'n meddiannu'r lle."

"Ydyn, maen nhw'n adeiladu heb fod ymhell o Shella. Bydd y Ffrancwyr wedi bachu'r cyfan cyn i ni droi, gei di weld."

"Ahh! Bonjour, Marianne!"

Ac yn y blaen... ac yn y blaen... ac yn y blaen...

Mwynhau'r *cappuccino* perffeithia'r olwg i mi ei weld erioed. Dynes ofalus yn gwisgo bathodyn sgleiniog yn cyhoeddi mai Martha oedd ei henw hi oedd wedi paratoi'r campwaith. Codai'r ewyn fymryn uwchben ymyl y cwpan a sefyll yno yn uwch na'r pen ar beint da o Guinness. Wedyn y llwch siocled yn cael ei daenu ar hyd-ddo fo'n gwbl gymesur gyda thwll ar ganol yr ewyn yn gwneud i'r cwbl edrach fel toesen siocled foethus.

"Wel, dwi'n gadael y twll yma cyn gynted â bo modd, beth bynnag."

Dyn heb fod yn annhebyg i gynghorydd oedd yn siarad wrth godi a gadael. Man gwyn man draw. Tra mae o'n gweld fan'ma'n dwll mae'r rhan fwya o'r byd yn ei weld o fel paradwys.

Chwalu'r greadigaeth goffi a chael un arall dim ond er mwyn gweld oedd Martha'n medru gwneud yr un peth eilwaith... Mae'n bryd i mi fynd yn ôl allan i'r byd go iawn...

Ond darllen tamad o Ruth Rendel cyn gadael. Doedd gen i ddim nofel arall i'w darllen ar ôl hon ac ro'n i wedi darllen bod y Mwslemiaid yr un mor wrthwynebus i nofelau ag oedd y Methodistiaid yng Nghymru ganrif yn ôl ac y byddai'n anodd cael rhai ar Lamu. Yn sicr, doedd dim siopau llyfrau fel y cyfryw yma. Ceisio darllen yn ara. Ceisio taenu diwrnod o ddarllen dros wythnos o amser a dogni'r penodau fel eu bod nhw'n para am ychydig ddyddiau'n hwy. Ond doedd hynny ddim yn mynd i weithio. Holi Americanes ifanc a oedd yn darllen wrth y bwrdd agosa ata i a oedd hi'n gwybod am rywle a fyddai'n gwerthu nofelau ail law. Awgrymodd fod yna stondin fechan ar y cei yn gwerthu rhai pe bawn i'n lwcus.

Gadael y caffi yn benderfynol o ddod o hyd i'r trysor llyfrau o flaen dim arall. Dod o hyd i'r siop oedd yn gwerthu dillad, crefftau ac ambell gerdyn post ond yn brin iawn o silffoedd llyfrau. Yn y diwedd, des o hyd i swp o nofelau yn cuddio mewn cornel. Bron nad oeddan nhw 'dan y cownter'. Prynu dwy neu dair ac yn eu plith nhw nofel fawr, dew gan Wilbur Smith. Mi allwn i lowcio Ruth Rendel druan mewn un darlleniad rŵan 'mod i'n gwybod bod gen i gwmni am weddill y daith.

Holi, a dod o hyd i swyddfa'r cwmni awyrennau a phrynu tocyn i hedfan yn ôl i Nairobi. Dyna'r ffordd allan wedi ei threfnu. Cwch o'r cei drosodd i ynys Manda ac awyren fechan o fan'no i'r brifddinas.

Crwydro'n ôl ac ymlaen o un pen i'r cei i'r llall am dipyn ac wedyn ar hyd y strydoedd cyfochrog, i fyny ac i lawr strydoedd culach fyth oedd yn bwydo'r strydoedd isa efo pobl a mulod, yn ôl ac ymlaen nes 'mod i'n dechrau dod yn gyfarwydd â rhai o'r siopau, yr arwyddion a'r graffiti.

Dau ddarn gwahanol o graffiti darodd fi wrth grwydro fel hyn oedd un yn dweud '*Liverpool is our country, football is our language*' ac un arall oedd yn cyfarth '*long live 9/11*'. Tybed a oedd yna gysylltiad rhwng y ddau beth?

Taro ar Che,y boi hudodd fi o'r naill westy i'r llall, a threfnu, neu gymryd fy mherswadio ganddo, i hwylio dros y culfor mewn *dhow* i Ynys Manda fory. Mae'n debyg bod hynny'n un o'r pethau 'mae'n rhaid eu gwneud' ar Lamu. Fe fydda i a dau Almaenwr yn hwylio am fil o sylltau'r un. Talu pum can swllt o flaendal a threfnu ei gyfarfod o yn y gwesty am naw y bore.

Mynd yn ôl i'r gwesty a gorwedd yn fy hamoc yn gorffen Ruth Rendel, dechrau Wilbur Smith a chysgu yn amlach na pheidio.

Mentro allan am fwyd fel roedd hi'n machlud a dod o hyd i fwyty to gwellt ar y cei o'r enw Hapa Hapa. Methodd y trydan o fewn dim ond roedd hi'n amlwg ei fod o'n ddigwyddiad cyffredin. Cyn i'n llygaid gyfarwyddo â'r tywyllwch roedd hen lamp olew wedi ei sodro ar ganol y bwrdd – er mai'r ddau Rasta yn y gornel gafodd y dortsh orau er mwyn iddyn nhw fedru gorffen eu gêm o wyddbwyll. Tywyllwch neu beidio, fe ges i'r cyrri corgimychiaid gorau i mi ei flasu erioed.

Doedd dim modd i rywun fod yn unig yn Hapa Hapa. Nid bod Jean nag un o'i chydweithwyr wedi fy nilyn i yno, ond roedd y bwyty, fel y dre gyfan, yn berwi o gathod. Hen gathod sgraglyd, tenau, cwynfanllyd, â'u clustiau'n griau a'u cyrff yn moeli'n byllau pinc o gnawd a chrachen. Hen bethau bychan, fawr mwy na chath chwe mis adra ond eu bod nhw'n hy ac yn fentrus wrth gardota am fwyd ac yn poeri eu melltith ar unrhyw un fyddai'n edrych yn gam arnyn nhw. Hen bethau hyll, oedd yn ddigon niferus i waredu'r ynys o lygod ac i ddychryn pob ci i'r môr. Os 'dach chi cyn hylled â chath Lamu, coeliwch chi fi 'dach chi'n hyll.

Troi am adra a 'nhortsh i'n dal llygaid cathod ymhob man. Oeddan nhw'n 'y nilyn i? Anelu blaen troed at bob un oedd yn dod o fewn cyrraedd. Cyrraedd Tŷ Amu a dringo i'r to i syllu ar y sêr. Fe eisteddais i yno am hydoedd yn rhyfeddu at rywbeth newydd a chyfarwydd bob yn ail. Bydda i'n iawn yn Lamu am sbel.

Mynd dhow dhow...

Usiende kukata tikiti kabla hujapata ruhusa.ya kusafiri

Peidiwch byth â phrynu tocyn cyn cael caniatâd i deithio

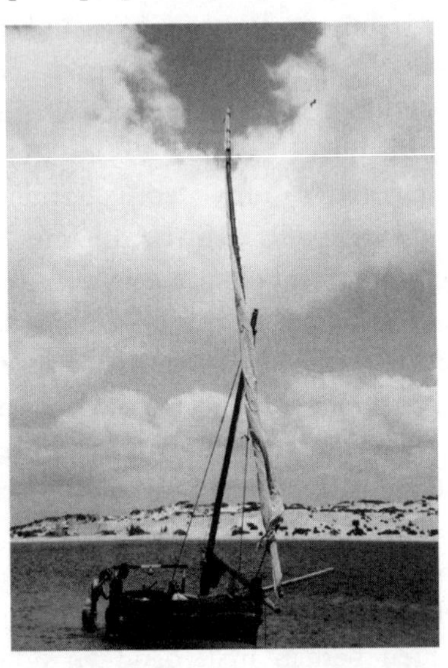

Mae ffrwythau'r wlad yma'n rhyfeddol. Eistedd ar 'y mhen fy hun dros frecwast a 'ngên a 'nwylo i'n llanast o sudd yr oren a'r mango ro'n i'n eu bwyta. Roedd cymaint o wahaniaeth rhwng eu golwg nhw a'u blas nhw. 'Dan ni wedi arfer efo ffrwythau sy'n edrych yn dda a'u sylwedd a'u blas nhw'n gyffredin iawn. Dyma wahaniaeth – oren â'i groen bron â bod yn wyrdd y byddwn i'n disgwyl iddo fo fod yn sur a sych fel hen ferch, ac na fyddai byth yn cyrraedd y silff yn Safeways, a'r mango a fyddai'n ddi-flas fel llond ceg o ddŵr trwchus petai o'n dod o Tesco. Ond roedd y rhain, a'r bananas bychain oedd yn perthyn o bell i'r bananas mawr llwydaidd eu blas 'dan ni'n gyfarwydd efo nhw, yn glafoerio o flas a'r sudd yn ffrwydro ohonyn nhw dim ond i rywun eu cyffwrdd. Meindio fy manars a molchi gorau medrwn i efo'r cadach papur pan ymunodd dau Swediad efo fi. Pobl eithriadol o glên.

Ro'n i wedi gobeithio mynd i grwydro tipyn a darllen fy negeseuon e-bost cyn mynd ar y cwch bore 'ma ond wrth i mi gamu allan o'r gwesty roedd Che yno'n disgwyl amdana i. Mae'n debyg bod problem. Roedd y ddau Almaenwr oedd i fod i ymuno efo fi ar y daith wedi cael eu taro'n wael yn ystod y nos – eu stumogau nhw'n giami, meddan nhw. Byddwn i ar 'y mhen fy hun a'r pris newydd godi i fil a hanner o sylltau. Ro'n i'n clywed rhywbeth yn drewi.

"Mae'n iawn – 'na'i fynd fory."

"Ond dwi angen S500 arall i dalu am y bwyd dwi wedi ei brynu."

"Iwsia flaendal y lleill."

"Ond chaethon nhw ddim amser i fynd i'r banc."

Wrth gwrs doedd y lleill ddim yn bod.

"Tyff – ti ddim yn ei gael o gen i."

"Ond dwi wedi talu am y bwyd."

"Awn ni heddiw am fil neu nawn ni ddisgwyl tan fory."

"Beth am fynd ar saffari mul yn lle hynny?"

"Be?"

"Saffari mul. Tro yng nghefn gwlad ar gefn mul."

"?!"

"Tyrd, dim ond S500. Gei di weld y pentrefi sydd o gwmpas i gyd."

A dyna pryd y gwnes i 'nghamgymeriad mawr. Nes i gytuno a chan nad oedd gen i ddim llai na phapur mil nes i roid hwnnw iddo fo a gofyn am newid. Wrth gwrs, doedd ganddo fo ddim newid a bellach roedd ganddo fo fil a hanner o sylltau o 'mhres i. Ac unwaith eto, dyma fo'n dechrau ar yr un sgam ag a ddefnyddiodd o yn y gwesty ddoe. Mynd o siop i siop yn holi am newid – siop bapurau newydd, siop gemwaith, siop ffrwythau – dweud wrth y siopwr am ddweud wrtho fo ei bod hi'n rhy gynnar yn y bore i newid papur mil. Tybed be fyddai wedi digwydd petawn i wedi cynnig prynu rhywbeth a thalu efo papur mil? Dwi'n siŵr y bydda'r newid wedi ymddangos o rywle. Ond dydy rhywun ddim yn meddwl am y pethau yma ar y pryd.

Tra oedd hyn yn digwydd a ninnau'n crwydro o siop i siop fe ddaeth Che ar draws capten y llong oedd wedi dod o hyd i un person arall oedd am fynd i hwylio. Grêt – fe allwn i fynd mewn cwch yn hytrach na mynd ar gefn mul.

"Bydda i ar y cei yn disgwyl amdanat ti efo'r newid pan ddoi di nôl."

Ta-ta Che. Ta-ta newid.

Sais o'r enw Tristan ges i'n gwmni ar y daith i draeth Manda. Roedd o ar ganol taith chwe mis o Cairo i Johannesburg a newydd dreulio tri mis yn teithio yng nghefn lori fawr. Boi mawr cydnerth pen melyn ag ôl tri mis o haul ar ei groen o a chanddo locsyn swil roedd o wedi ei hudo i dyfu. Rhyw wyliau bach oedd hwn cyn mynd ymlaen â'i daith. Roedd o'n bump ar hugain oed, newydd raddio o Lerpwl a'i rieni o newydd gael ysgariad. Ddoe, fe nofiodd o yr hyn roedden ni'n ei hwylio heddiw, o Lamu ar draws y culfor i Manda.

Mae'n syndod faint o wybodaeth sy'n cael ei rannu yn y pum munud cynta ar ôl cyfarfod rhywun. Mae'r sgript wedi ei pharatoi ymlaen llaw. Does dim gwahaniaeth be ydy'r cwestiynau: rhain ydy'r atebion, dyma dwi'n rannu o 'mywyd a dim rhagor – wedyn mae'r sgwrs yn boddi mewn distawrwydd am sbel fach nes bod rhyw broblem gyffredin yn cynnig ei hun i'w thrafod.

Rasta o'r enw Derek oedd y capten a dau hogyn ifanc yn gweithio fel criw iddo fo. Cwch pren un hwyl oedd ein *dhow* ni. Roedd y *Lonely Planet* yn ein rhybuddio i beidio â mentro ar *dhow* heb beiriant os oedden ni ar frys i gyrraedd yn ôl gan ei bod hi, wrth reswm, yn gyfan gwbl ar drugaredd y gwynt. Ond doedd dim brys arna i i fynd i nunlle felly gallwn fwynhau fy hun a gweld be fyddai gan ddiwrnod hamddenol ar drugaredd y don i'w gynnig i mi.

Roedd presenoldeb Tristan yn gysur mawr gan 'mod i'n gyfuniad peryglus o berson sy'n mwynhau dŵr yn ofnadwy ac yn methu nofio. Cyn pen dim, roedd pob syniad o fethu nofio ymhell bell o 'meddwl i ac roeddwn i'n symud fy sêt, yn plygu ymlaen a phwyso'n ôl dros ymyl y cwch i'w chadw hi rhag troi drosodd fel taswn i'n frawd i Huw Puw ei hun.

Hwylio i fyny'r arfordir heibio i Shella. Yn Shella roedd y traeth ac yn Shella roedd tai y bobl grand. Does dim traeth yn Lamu ei hun, dim ond cei a hwnnw'n borthladd byw yn cario popeth i'r ynys ac oddi arni hi – o boteli Coke, i ddisel, i bobl a pheiriannau, am wn i. Yn ôl y llyfr, mae'r bensaernïaeth draddodiadol yr un mor amlwg yn Shella ag ydy hi yn Lamu ond am un gwahaniaeth – ei bod hi'n rhy lân yno. Pan oedd y bywyd Swahili yn ei anterth yn Shella go brin bod ganddyn nhw amser i fod mor daclus. Mae bywyd go iawn yn flêr ac yn fudur. Gwestai a thai i bobl grand sydd yno bellach a does dim lle i sbwriel na llanast. Tybed a yw'r adeiladau yn Sain Ffagan yn cynnwys blerwch cyfoes? Bydd yn rhaid i mi edrych y tro nesa bydda i yno.

Mae'n debyg bod gan Dywysog Monacco dŷ yn Shella a'i fod o'n gosod ystafelloedd yno am fil o ddoleri'r noson. Wn i ddim ydy gosod eich tŷ i ymwelwyr yn rhywbeth tywysogaidd iawn i'w wneud. Ella mai rhywbeth i'r *new royals* ydy o.

Roeddwn i'n eistedd ar drawst mawr praff oedd yn gorwedd ar hyd canol y cwch. Unwaith roeddan ni allan ynghanol y culfor, rhwng y ddau draeth, estynnodd yr hogia am y trawst a'i fachu o dan wefus chwith y cwch nes bod y gweddill ohono fo'n codi'n fraich hir allan dros yr ochr arall. Wedyn fe ddringodd yr ifanca o'r ddau hogyn i fyny'r trawst efo rhaff yr hwyl yn ei law a dringo i fyny ac i lawr yn ôl yr angen er mwyn cadw'r cwch ar y llwybr cywir. Er mwyn newid tac roedd yn rhaid symud yr hwyl, tynnu'r trawst i lawr a'i fachu o dan y wefus dde a'i ddringo drachefn. Dyma'r gwaith anturus, yr union waith ar gyfer ysbryd a chalon hogyn ifanc, sy'n cyfateb i yrru tractor neu farchogaeth ar frig ucha'r llwyth gwair yn Rhos-y-bol ugain mlynedd yn ôl.

Ond mae gan bob *dhow* rywbeth arall i'w cadw nhw ar y trywydd cywir, sef yr *ito* – pâr o lygaid pren sy'n caniatáu i'r cwch weld y creigiau a'r twmpathau tywod o dan y dŵr ac sy'n ei amddiffyn rhag hud a lledrith eu gelynion. Roedd llygaid ein *dhow* ni yn y tu blaen ac oddi tanyn nhw roedd y geiriau – 'dach chi'n meddwl mai dyma'r diwedd, ond dydy o ddim ond y dechrau'. Arwyddair gobeithiol neu anobeithiol oedd hwn tybed? Do'n i ddim wedi meddwl am y daith hon fel y diwedd mae'n rhaid i mi gyfadda, ond pwy a ŵyr. Arwyddair arall welais i ar gwch wrth y cei oedd – 'lle bynnag 'dach chi'n mynd, 'dan ni'n dod o'no'. Eto, dwi ddim yn siŵr ydy'r geiriau i fod i gynnig cysur i'r teithiwr ai peidio.

Cyrraedd traethell wen Manda. Gadael Tristan a Derek i snorclo tra aeth y ddau fachgen a finna i bysgota. Roedd hyn hyd yn oed yn haws na physgota am fecryll yn Aberystwyth. Taenu rhwyd hir ar draws cilfach fechan wedyn mynd i mewn i'r dŵr a dychryn y pysgod i gyfeiriad y rhwyd. Cyn i ni droi roeddan ni wedi dal dau bysgodyn torgoch braf. Dychwelyd fel unrhyw helwyr balch at y cwch. Casglu Tristan a hwylio rhyw ychydig ymhellach i lawr y traeth. Gollwng y capten a'r pysgod mewn un man a hwylio ymlaen a thynnu'r cwch i'r lan. Aeth Tristan ati i snorclo ac fe es innau i dorheulo ryw hanner milltir ymhellach eto. O'n i'n crasu gan fod y tywod yn ferwedig o boeth oddi tana i a'r haul yn ddidrugaredd uwchben. Ymhen sbel, cafodd Tristan y syniad penigamp o fynd i gysgodi yn y Manda Beach Club – bar ar y traeth heb unrhyw beth arall yn agos ato fo. Archebu Tusker a Malibu a Coke gan egluro i'r dyn wrth y bar mai bar yn union fel hwn roddan nhw'n ei ddefnyddio i hysbysebu Malibu adra yng Nghymru. Ac er bod y creadur wedi clywed y cwbwl filoedd o weithiau o'r blaen mae'n siŵr, fe wenodd, chwara teg iddo fo. Wrth i ni yfed, aeth y cwch a'r criw heibio gan chwifio'u breichiau'n frwdfrydig. Codi llaw yn ôl a meddwl dim rhagor am y peth.

Codi ymhen sbel a mynd drot-drot ar hyd y traeth. Gan fod y tywod mor boeth a ninnau'n droednoeth doedd dim modd cerdded yn hamddenol arno fo. Cychwyn i'r cyfeiriad roeddan ni'n meddwl y byddai'r cwch wedi mynd. Doedd dim sôn amdano. Cerdded yn ôl ar hyd llwybr ein holion traed ein hunain i gyffiniau'r lle roeddan ni wedi gollwng y capten ynghynt. Doedd dim sôn amdano fo na'r cwch. Cerdded yn ôl am y trydydd tro a chadarnhau nad oedd dim golwg o'r cwch yn unlle. Erbyn hyn, roedd Tristan yn dechrau sôn am nofio'n ôl a finnau'n dechrau meddwl sut yn union i ddweud wrth Sue Lawley mai Beibl William Morgan a chopi o Dafydd ap Gwilym roeddwn i eisiau ac nid St James a Shakespeare. Tybed oedd ganddyn nhw Meic Stevens yn eu harchif yn Broadcasting House?

Ar ben y cwbwl, roedd Tristan yn crasu yn yr haul gan fod ei groen o'n wlyb ar ôl nofio a'i grys o, ynghyd â phopeth arall o werth oedd gan y ddau ohonan ni yn y byd, yn ein bagiau ni ar y cwch. Cyn mynd i banig go iawn, penderfynu gwario hynny o arian oedd gen i ar ôl yn y bar. Tusker a Malibu a melltith neu ddwy i'r capten. Holi'r boi wrth y bar am y cwch ond gweld dim, clywed dim, dweud dim oedd hi efo fo fel efo pob barman da. Ymhen sbel â chymylau duon ymhobman er gwaetha'r tywydd bendigedig, soniodd rhyw foi arall yn y bar fod ein cwch ni wedi picio draw i Shella i nôl cinio i ni gan chwaer y capten. Ella bod y capten am i ni goelio ei fod wedi paratoi'r bwyd ei hun ar y traeth lle gadawon ni o. Beth bynnag am hynny, roeddan ni'n falch iawn o'u gweld nhw'n dychwelyd, er bod y ddau ohonan ni'n llawer rhy cŵl i gyfadde hynny wrth reswm. Cael pryd bendigedig o bysgod ffres, llysiau, reis a ffrwythau ar lan y môr a'i throi hi'n ôl am Lamu gan alw yn Shella efo'r llestri budron.

Meddwl am funud ein bod ni'n cael croeso tywysogaidd wrth ddynesu at y cei yn Lamu. Gweld bod torf fawr wedi casglu yno a bod rhialtwch mawr yn ein disgwyl ni. Ond wrth nesáu roedd rhywun yn sylweddoli fod y dorf gyfan â'i chefn at y môr ac yn mwynhau rhyw ddiddanwch mawr.

Cyrraedd y lan ac ymuno â'r dorf. Ffarwelio efo Tristan. Doedd o ddim am gael rhagor o gwmni. Roedd yr olygfa ar y cei yn rhyfedd iawn. Ffurfiai'r dorf gylch mawr a buan roedd rhywun yn sylweddoli mai dim ond dynion oedd yno. Ar un pen i'r cylch roedd bwrdd isel, rhes o gadeiriau a band. Gosodwyd model mawr o long hwyliau ar y bwrdd, a thu ôl iddi, ar be oedd yn ddigon tebyg i gadair Eisteddfod Gadeiriol Llangeitho 1898, eisteddai rhyw hen ŵr ac o boptu iddo fynta hanner dwsin o ddynion eraill o wahanol oedran. Band taro oedd y band ac roeddan nhw wrthi o'i hochor hi yn curo drymiau o bob math i guriad clir a phendant. Yng nghanol y cylch roedd gornest. Roedd dau ddyn yn ymladd ei gilydd efo dwy ffon fel petaen nhw'n ymryson â chleddyfau. Ar ôl rhyw funud neu ddau o guro'r ffyn yn erbyn ei gilydd, heb daro'i gilydd yn gorfforol o gwbwl, fe fyddai dau arall yn cymryd eu lle a'r ddau oedd newydd orffen yn taflu eu ffyn i ddau arall yn y dorf. Roedd ymrafael mawr am y ffon ymysg ambell i griw a phawb ar ben eu digon.

Wrth i'r dorf gynyddu, nes i lwyddo i ddechrau sgwrs efo'r dyn oedd yn sefyll wrth fy ochr i. Roedd o'n athro mewn ysgol gynradd ar yr ynys ac wedi dod â'i fab i weld y *Kirwmbisi* am y tro cynta. Eglurodd mai dathliad oedd o ac mai dawns oedd hi yn hytrach nac ymladdfa go iawn. Mae'r *Kirwmbisi* yn cael ei gynnal ar ynys Lamu i ddathlu priodas neu enwaediad a bydd yn para am ryw awr neu ddwy nes bod yr haul yn machlud. Gall bara am sawl diwrnod ar y tro ar rai ynysoedd eraill. Dathliad priodas oedd hwn. Roedd y merched wedi dathlu neithiwr, a thro'r dynion oedd hi heno. Y gŵr yn y canol oedd hynafgwr y teulu a'r dynion o'i gwmpas oedd y priodfab, y gwas, ei dad a'i dad-yng-nghyfraith. Arweinydd y band oedd y person canolog i'r holl sioe: fo oedd yn penderfynu ar y curiad ac, os oedd y drwm yn peidio, roedd yn rhaid i'r dawnsio beidio.

O fod wedi cael yr eglurhad yna, roedd y sefyllfa'n glir fel grisial. Dynion yn dawnsio mewn parti priodas oedd yma ac roeddan nhw'n ymddwyn yr un fath yn union yn Lamu ag y bysan nhw yn Llannerch-y-medd. Roedd rhai yn fwy brwd na'i gilydd dros ddawnsio. Rhai oedd heb ddawnsio ers ugain mlynedd yn gwneud am fod rhaid iddyn nhw. Roedd hi'n amlwg oddi wrth ei wyneb bod ar yr hynafgwr ofn y ffyn am ei hoedl ac roedd yn dal ei ffon o hyd braich gan brocio a chymryd cam yn ôl ar yr un pryd fel petai o'n procio cwch gwenyn. Rhai eraill yn dda ac yn mwynhau dangos eu hunain. Y rhai ifanc yn llwyddo i edrych yn iawn ond y rhai hŷn fel petaen nhw'n chwilio am ryw ieuenctid a fu, ond wedi cychwyn, doedd dim stop arnyn nhw. Roedd eraill wedyn yn ddifrifol o frwd. Roedd rhain yn codi ofn ar eu gwrthwynebwyr claear, a phan fyddai dau o'r un anian yn dod wyneb yn wyneb fe fyddai'r ddawns yn troi'n ffeit, y drwm yn tewi ac arweinydd y band yn troi'n reffari. Unwaith, fe gychwynnodd yna derfysg yn y dorf hyd yn oed wrth i ddau hogyn ifanc, a oedd yn sefyll reit wrth fy ymyl i, ddechrau cwffio dros y ffon. Mae'n amlwg bod y rhain wedi anghofio nad oedd dim merched yn y dorf iddyn nhw ymffrostio o'u blaenau.

Wedyn roedd y darnau embarasing sydd ymhob priodas – y ddawns gynta a thraddodiadau felly. Yn yr achos yma, roedd y priodfab yn cael torch o flodau coch a gwyn i'w gwisgo am ei wddw a phob un o'r prif gymeriadau eraill yn cael trefniant bychan i'w wisgo yn eu crys. Wedyn, roedd yn rhaid i bob un o'r dynion pwysig ymladd ei gilydd. Fe gai'r priodfab ddarn o ddefnydd lliwgar i'w wisgo ac wedyn roeddan nhw'n rhedeg ar ôl ei gilydd gan chwistrellu ei gilydd efo cawodydd trymion o bersawr. Dim gwirionach na stwffio conffeti i lawr crysau pobl ond nad oedd dim merched yma i'w wneud o ar eu rhan nhw.

Roedd hi'n seremoni draddodiadol oedd yn mynd yn ôl ganrifoedd i ddathlu cam pwysig yn hanes dyn, ac yn hyfforddi'r llwyth estynedig i ymladd a pharchu ei gilydd 'run pryd. Ond erbyn hyn, wrth gwrs, roedd mwyafrif y dorf yn gwisgo crysau pêl droed a threnyrs ac, oedd, roedd rhywun yno'n gwneud fideo o'r holl beth.

Daeth popeth i ben fel roedd hi'n machlud ac fe nes innau droi am adra a be oedd ar ôl o wres y prynhawn yn tasgu ohona i.

Ffonio rhif Hedd ar y ffordd yn ôl i'r gwesty a dweud wrtho fo y byddwn i'n cyrraedd Nairobi fory. Teimlo'n reit falch a diolchgar pan gynigiodd ddod i 'nghyfarfod i yn y maes awyr. Mae'r daith yn ôl am adra wedi cychwyn.

Wrth agor drws y gwesty y gwnaeth hi fachlud arna i nad oeddwn i ddim wedi gweld golwg o Che yn disgwyl amdana i ar y cei yn ystod y prynhawn.

Nos da Che. Ta-ta newid.

Saffari mul ac Eminem

Asiye na mengi, ana machache
Mae gan y rheiny sydd heb lawer o broblemau ychydig o drafferthion

"Mae'n ddrwg iawn gen i, syr. Ddrwg iawn gen i. Fyddwn i ddim am i chi feddwl bod Che yn anonest, syr. Fyddwn i ddim am i hyn effeithio ar ein cyfeillgarwch ni, syr. Da chi, syr, peidiwch â gadael Lamu a dweud wrth y byd bod Che yn anonest. Beth am ddod ar y saffari, syr? Dewch i weld y pentrefi. Ar gefn mul, syr."

Do'n i ddim cweit wedi deffro. Wedi digwydd crwydro i lawr grisiau a'r dyn oedd yn gweini brecwast wedi dweud bod rhywun yn disgwyl amdana i wrth y drws. Petawn i wedi meddwl, mi fyddwn i'n gwybod beth i'w ddisgwyl;

go brin mai Bryn Terfel oedd yn mynd i fod yno. Ond fe ddaeth y dilyw o esgusodion a chynigion ac ymddiheuriadau yma ar 'y ngwartha i braidd yn annisgwyl. Ysgwyd 'y mhen a gwenu a chilio'n ôl i dawelwch y tŷ.

Ystyried y sefyllfa dros frecwast. Doedd yr awyren ddim yn gadael tan ddiwedd y prynhawn a doedd gen i ddim byd arall i'w wneud. Penderfynu mynd ar y saffari mul beth bynnag ar wyneb daear roedd hynny'n ei olygu. A, beth bynnag, fe fydda fo'n fodd o gael rhywbeth yn ôl am y pres dwi wedi ei 'roi' i Che.

Cyn cychwyn, roedd yn rhaid cerdded i gyrion y dre i gyfarfod y drafnidiaeth. Roedd Rossetta'r mul yn disgwyl amdanan ni y tu allan i gartref Che. Hogan fechan, dawel, ddiymhongar efo cefn fel llafn twca oedd y fulas druan. Gosod sach yn gyfrwy a neidio ar ei chefn nes bod arna i ofn y bydda hi'n sigo. Symudodd hi ddim modfedd. Ai dyma brofi'r ymadrodd 'styfnig fel mul'? Ond dydy mulod bach glan môr ddim yn styfnigo; mae'r rheiny wedi arfer cario. Felly mae'n amlwg nad oedd Rossetta druan wedi arfer â'r gwaith a buan y sylweddolais i 'mod i wedi disgyn 'bendramwnwgl, din-dros-ben' am sgam arall.

Mewn ymdrech i'w chael hi i symud, fe ddechreuodd Che dynnu ar y penffust fel petai o'n tynnu llo. Waeth iddo fo fod yn trio tynnu trên bach yr Wyddfa i'r copa ddim; doedd Rossetta ddim yn symud, doedd hi ddim yn sylwi. Ro'n i hyd yn oed yn gwybod, o 'mhrofiad prin i o hwsmonaeth, bod gwthio a phrocio yn llawer gwell tacteg na thynnu. Ymhen hir a hwyr, newidiodd Che gyfeiriad. Yn hytrach na thynnu, dyma fo'n neidio i fyny ac yn ymuno efo fi ar ei chefn hi. A, do, fe symudodd Rossetta ond fe ddilynodd ei map ei hun a throi ar ei sawdl yn ôl am adra, a hynny ar gryn sbîd. Bu'n rhaid i Che neidio i lawr ar frys i'w throi hi'n ôl i'r llwybr gwreiddiol. O leia roedd yr hen hogan wedi cael blas ar symud ac ar ôl ei throi hi'n ôl, fe ddechreuodd y saffari. Rhyw dair neu bedair troedfedd o ful yn cael ei dywys gan rôg blêr, efo tros dair stôn ar ddeg o Gymro chwyslyd, blewyn yn brin o chwe throedfedd ar ei gefn o yn edrych fel petai o ar feic plentyn â'i draed yn llusgo hyd y llawr. Yn sydyn, ro'n i'n dychmygu fy hun yn marchogaeth mul bach ar hyd y prom yn Aber a phawb roeddwn i'n nabod yn y byd yn cerdded heibio yn glannau chwerthin am 'y mhen i ac yn canu:

> Tasa gen i ful bach a hwnnw'n cau mynd,
> Fyswn i'n ei guro fo? Na, fyswn ddim.
> Mi rown i o yn y stabal a ffîd o india corn –
> Y mul bach gorau fuo rioed mewn trol.
> *Gee-up*, Rosie. *Gee-up*, Rosie.
> Y mul bach gorau fuo rioed mewn trol.

Mynd yn ddigon del drwy bentrefi cyfagos. Fe ddylwn i fod wedi dyfalu na fyddai diffiniad Che o 'bentra' a 'chyfagos' yn un y byddwn i'n gyfarwydd â fo. Os oeddwn i'n disgwyl casgliad bychan anghysbell o gytiau to gwellt, efo dynion diog, merched bronnoeth a phlant fel morgrug hyd y lle, yna roeddwn i'n mynd i gael fy siomi, a'n siomi ges i. 'Pentra' oedd 'y datblygiad diweddara o dai brics' a 'cyfagos' oedd 'yn sownd i'r datblygiad cyn hynny', oedd yn ei dro yn rhan o Lamu ei hun. Beth bynnag, ymlaen â ni drwy faestrefi oedd yn dwyn enwau cyfarwydd fel Bombay a Calcutta. Poblogaeth ddiweddar wedi cyrraedd o India neu o dras Indiaidd yn ôl fy nhywysydd gwybodus ac wedi dod â'u henwau efo nhw. Aros wrth ymyl ysgol fechan. Yn ôl Che, roedd hi'n draddodiad i ymwelwyr oedd yn mynd heibio ar y daith roi cyfraniad at gadw'r ysgol ar agor. Rhoi papur dau gan swllt iddo fo a chael ffrwyn Rossetta i'w dal tra aeth o i'r ysgol i gyflwyno'r arian i'r prifathro.

Wrth sefyll yno'n gafael yn ffrwyn y fulas a chael sgwrs fach hamddenol efo hi am y tywydd ac am 'y nhaith, ac ar ôl brolio pa mor dawel oedd mulod Lamu, dyma rhyw ful yn rhywle cyfagos yn dechrau cnadu. Fe ddechreuodd clustiau'r hen hogan godi ar unwaith – mae'n rhaid nad oedd hi ddim wedi bod yn gwrando ar yr un gair oedd gen i i'w ddweud wrthi. Mi allwn ddychmygu'r fulas fach oedd wedi bod mor gyndyn ei symudiadau hyd yn hyn yn carlamu i ffwrdd i gyfarfod ei chymar a hwythau'n dianc ochr yn ochr rhwng llorpia rhyw drol fach i ddau efo Roscoe a Rossetta wedi ei naddu ar gaead ei thin hi, a finna'n llwyth blêr yn y cefn.

Daeth Che o rywle i fy arbed i rhag yr hunlle honno. Dim derbyneb, dim prifathro diolchgar, dim gwahoddiad i mewn, dim cân gan y plant. Pam na fyddwn i wedi mynd i mewn fy hun? O leia fe allwn i fod wedi cyfarfod brawd Che neu pwy bynnag arall oedd wedi pocedu'r pres. Ella 'mod i'n annheg. Ond dwi'n berffaith siŵr 'mod i ddau gan swllt yn dlotach.

Ymlaen drwy swbwrbia blêr Lamu. Erbyn hyn, roedd Che wedi cymryd ffansi at fy sgidiau i.

"Sgidiau neis."

"Diolch."

"Mae arna i angen sgidiau newydd."

"Oes wir?"

"Wnewch chi roi eich rhai chi i mi?"

"Na – mae eu hangen nhw arna i."

"Allech chi eu gadael nhw i mi pan fyddwch chi'n gadael."

"Be? Y fuchedd hon? Na – dwi ddim yn meddwl."

"Allech chi brynu rhai newydd i chi eich hun a rhoi'r hen rai i mi."

"Na – dwi'n leicio'r rhain, fel mae'n digwydd."

"Be am brynu pâr newydd i mi yn y farchnad...? Fyddan nhw ddim yn ddrud."

"Be ydy hwnna yn fan'na?"

Holi am y peth cynta welwn i. Cwt mawr, budur, myglyd ac eithriadol o swnllyd – digon i foddi ymdrechion parhaus Che i gael pres o 'nghroen i hyd yn oed. Hon, mae'n debyg, oedd gorsaf drydan Lamu oedd yn ddim mwy, mewn gwirionedd, na llond cwt o *generator* yn rhedeg ar ddisel. *Generator* fel sydd gan unrhyw ffermwr neu adeiladwr i gynhyrchu tipyn bach o drydan mewn llefydd anghysbell. Felly pan fyddai hwn yn tagu neu'n sychu, fel mae *generators* yn tueddu i wneud yn gyson, roedd tre, os nad ynys Lamu gyfan, heb drydan nes ei fod o'n atgyfodi eto.

Ailgychwyn i gyfeiriad glan y môr. Erbyn hyn, ro'n i'n teimlo'n reit Feseanaidd – yn ymdeithio ar gefn mul â choed palmwydd o boptu i mi – ond doedd dim torfeydd o fath yn y byd. A diolch am hynny. Be tasa rhywun yn 'y nabod i? Cael fy neffro o 'mreuddwydion rhyfedd gan lais Che...

"Mae gen i chwech o blant. Tri o 'mhlant fy hun a thri o blant bach amddifad ar ôl fy mrawd druan. Buodd o farw llynedd..."

Ro'n i'n gweld yn union lle roedd hyn yn mynd…

"Mi gafodd y ferch fenga – tair oed ydy hi – bwl drwg o asthma neithiwr. Buodd yn rhaid i mi dalu am bwmp iddi. Pympiau'n bethau drud, wyddoch chi. Ydy pympia'n ddrud yn Lloegr."

"Ydyn, am wn i. Dwi ddim yn byw yn Lloegr. Be ydy hwnna?"

Y tro yma, roeddwn i'n edrych ar neuadd fechan agored ar ben bryn â lôn darmac yn arwain ati hi. Nath o ddim 'y nharo i ar unwaith pa mor od oedd gweld y lôn. Dyma'r unig lôn, fel y gwyddon ni amdani, sydd ar Lamu. Rhyw bedwar can llath o briffordd yn arwain o'r cei at y bryn bychan yma. Eglurodd Che mai dyma fan cyfarfod y dre gyfan. Yma roedd cyfarfodydd cyhoeddus pwysig yn digwydd ac roedd y lôn wedi ei hadeiladu'n arbennig ar gyfer y car a oedd wedi ei neilltuo'n benodol at y pwrpas o gario'r Arlywydd o'r cei i fan'ma lle bydda fo'n annerch y dorf am rai oriau.

Ond doedd dim tynnu Che oddi ar ei drywydd. Roedd llogi Rossetta wedi costio pedwar can swllt a ffîd o india corn wedi costio cant a hanner.

"A be am y cerbyd yna?"

"Yr ambiwlans ydy honna ond mae'r blydi doctor 'na yn ei defnyddio hi at ei iws ei hun."

At ei iws ei hun? Ar gyfer gyrru i fyny ac i lawr yr unig ffordd ar yr ynys? Dydy pawb ddim yn gwirioni 'run fath, mae'n debyg. Er ein bod ni wedi cyrraedd yn ôl at lan y môr, doedd y saffari ddim ar ben. Hwn oedd yr uchafbwynt.

Parcio'r mul tu allan i gwt pren glan môr a phrynu Fanta bob un i ni – a finna'n talu, wrth reswm. Mentro wedyn ar saffari na welodd neb ei debyg erioed o'r blaen – taith o gwmpas ysbyty cymunedol Lamu. Dyma ward y dynion.

Dyma ward y merched. Dyma'r adran pelydr-x. Dyma dŷ'r meirw. Dyma'r ward mamolaeth. Dweud 'helo' wrth hwn a 'sut ma'i' wrth y llall ac allan. Taflu'r botel Fanta wag i'r bin a dringo'n ôl ar gefn y mul a 'mhen i'n troi.

"*Gee–up*, Rosie – cer â fi adra."

Doedd mynd adra ddim mor hawdd â hynny, wrth reswm, achos roedd un peth mawr i'w drafod. Pres. Roedd Che isio saith can swllt. Bu'n rhaid i mi ei atgoffa fo bod ganddo fo bum cant eisoes ar ôl ddoe. Rhoi cant arall iddo fo i gau ei geg o a'i adael o'n sefyll efo pen Rosie druan dan ei gesail a golwg hynod o siomedig a diniwed ar ei wyneb o. Diniwed, o ddiawl...

Mynd ar 'y mhen i'r gwesty gan ystyried o ddifri be o'n i newydd ei wneud. Ro'n i newydd dreulio awr a hanner yn gweld tai a ffatrïoedd ac ysbytai, yn teithio llwybr, ar gefn mul, y byddwn i wedi ei gerdded mewn llai na hanner awr ac yn waeth byth ro'n i 'di talu am y fraint.

Gorwedd ar yr hamoc yn chwysu o gywilydd ac yn chwerthin bob yn ail. Pam fi?

Ro'n i ynghanol *Monsoon* Wilbur Smith a rywle rhwng brawddeg a breuddwyd pan ddechreuodd y *muezzin* alw'r praidd i weddi. Roedd y llafarganu drwy'r uchelseinydd yn ddigon i ddeffro'r meirw ac i'w glywed ym mhob cwr o'r dre. Mae geiriau'r weddi'n syml:

Mae Allah'n gadarn.
Does dim Duw ac eithrio Allah.
Prysurwch i weddi.

Boed i chi gael eich bendithio â llwyddiant.
Mae Allah'n gadarn.
Does dim Duw ac eithrio Allah.

Mae'n debyg bod llinell ychwanegol ar gyfer yr alwad foreol sydd rywbeth yn debyg i: 'mae gweddïo yn well na chysgu'.

Ond mae'n rhaid cyfadda nad oeddwn i'n deall y sefyllfa'n iawn chwaith. Hyd yn oed mewn tre fechan fel Lamu roedd yna ddau *muezzin* yn galw dwy gynulleidfa i addoli ar unwaith, mewn dau le gwahanol. Ydy enwadaeth yn rhemp ymysg y Mwslemiaid hefyd? Pam bod person yn dewis mynd i un mosg ar draul y llall? Pam na allen nhw fynd i'r un mosg? Oedd yna gymaint o ddynion mewn gwirionedd yn byw yn Lamu fel eu bod nhw'n fwy na llond un mosg nobl? Tybed oedd pob *muezzin*, rhwng llinellau'r weddi, yn gwerthu ei fosg o?

"Cadwch eich pengliniau'n feddal – mae'n matiau ni'n fwy cyfforddus."

"Byddwch yn saff eich bod yn troi at Mecca – mae'n cwmpawd ni'n gywirach."

Allech chi ddychmygu'n blaenoriaid ni wrthi run fath, yn cerdded yn ôl a blaen y tu allan i'r capel tua chwarter i ddeg y bore efo corn siarad?

"Gwres canolog, pregeth fer a phaned – garantîd."

"System sain i'r trwm eu clyw a chanu bendigedig."

"*Buy one, get one free* – dim ond yn y gwasanaeth boreol mae casgliad."

"Croeso i bechaduriaid a chotiau ffwr."

"Dewch i Bethania i deimlo'n ifanc. Rhywun yn y gynulleidfa'n siŵr o fod yn hŷn na chi. Casgliad yn ôl os mai chi 'di'r hyna."

Ond roedd y ddau *muezzin* yn dal wrthi am y gorau…

Mae Allah'n gadarn.
Does dim Duw ac eithrio Allah.
Prysurwch i weddi.

… nes ei bod hi'n un o'r gloch a'r dre yn ymdawelu ar gyfer gweddi.

Ond roedd gan rywun mewn gardd gyfagos system sain yr un mor soffistigedig â'r *muezzin* ond bod ei neges yn go wahanol:

Met a reatrded kid called Greg with a wooden leg.
Snatched it off and beat him over the fucking head with the peg.
Go to bed with the keg wake up with the 40
Mixed up with Alka Seltzer and Formula 44D.
Fuck an acid tab I'll strap the whole sheet to my forehead
Wait until it absorbed in and fell to the floor dead.
No more said cause closed end of discussion,
I'm blowing up like spontaneous human combustion…

Eminem yn gadael i'r *muezzin* wybod ei fod yntau am alw ar ei ffyddloniaid hefyd. A dyna ddiwylliannau'n gwrthdaro yn llythrennol. Allech chi ddychmygu Eminem y tu allan i Seilo, Bethania, Saron a Bethel? Oes rhyfedd bod pobl Lamu'n flin?

Codi o'r hamoc a chrwydro i'r dre a sylwi cymaint o ferched oedd yn gwisgo du, cymaint o ddynion oedd yn gwisgo barf a gwisg draddodiadol. Cerdded heibio'r graffiti pêl droed am y degfed tro a chofio bygythiad '*long live 9/11*'.

Roedd hi'n bryd i mi adael Lamu. Gadael paradwys, y traethau, y tywydd, y ffrwythau a'r hamoc – a Che a'i ful a'i sgamio tragwyddol. Yn ôl i'r gwesty, pacio a cherdded i lawr i'r cei. Doedd yr un enaid byw am gynnig cario fy sach i wrth i mi adael na'i warchod o ar y daith beryglus ar draws y dŵr. Rhyfedd o fyd.

Gwylio'r prysurdeb. Bwyd, diod, defnydd, anifeiliaid, brics, coed a choncrit i gyd yn cyrraedd, a photeli gwag a phobl yn gadael. Y dŵr yn gwbl glir nes bod rhywun yn gweld coesau'r lanfa yn ymestyn draw, draw i waelod y môr, ond bod miloedd o bysgod mân yn hel yn gwmwl o gwmpas ei draed nes i blentyn eofn daflu'i din dros ei ben a phlymio i'w canol nhw efo sgrech o chwerthiniad a hapusrwydd dilyffethair yn tywynnu ohono fo. Bydd rhaid i mi ddysgu nofio.

Cyrhaeddodd y cwch. Ychydig ohonan ni oedd yn teithio – dim ond y fi, rhyw hen ŵr a'i becyn, bachgen oedd yn edrych fel petai o wedi bachu reid yn ôl a blaen, a dau filwr, dyn a dynes.

"Pum can swllt." Prin ro'n i'n clywed y boi.

"Be?"

"Pum can swllt." Sibrydiad arall yn cael ei foddi gan sŵn yr injan.

"Sori?"

"Tri chan swllt."

"Faint?" Yn sydyn, chwythwyd sŵn yr injan i gyfeiriad gwahanol ac yn yr eiliad honno o dawelwch clywais ...

"Can swllt."

"Ro'n i'n meddwl mai dyna ddeudist ti."

Roedd y diawl bach am fy mlingo i hyd y funud ola ond bod dau filwr yn digwydd bod yn gwrando, ac o bosib, yn gwneud rhywfaint o wahaniaeth. Ond wedyn be oedd chydig gannoedd o sylltau i rywun oedd yn medru fforddio hedfan o'ma?

Dau gwt gwellt ar gyrion cae o lwch ydy maes awyr Manda. Mae gan un cwt furiau – hwnnw ydy'r swyddfa – a'r llall heb furiau ydy'r man ymgynnull. Y ddau filwr oedd wedi croesi efo fi oedd y swyddogion diogelwch a llithro llaw i mewn i bocedi'r sach oedd yr archwiliad. Dim ond y fi oedd yno i ddechrau. Ond roedd y bobl allai fforddio hedfan yn debycach o fod yn aros yn Shella. Ac fe brofwyd hynny wrth i gwch Shella gyrraedd a dadlwytho'i deithwyr. Enfys o liwiau haul seimllyd, swnllyd. Methais yn lân â dirnad a oeddan nhw'n un criw o ffrindiau neu ai'r un math o bobl oeddan nhw o bob cwr o'r byd. Americaniaid,

Ffrancwyr, Awstraliaid, Sbaenwyr; yr ifanc a'r bythol ifanc â'u lleisiau'n gweu trwy'i gilydd yn un grwndi o fodlonrwydd cynnes. Gwrthdaro diwylliannol – pa wrthdaro? Pawb yn chwerthin ac yn rhannu profiadau, yn werthfawrogol o jôc sâl, yn gydymdeimladol o galedi marchogaeth eliffantod yng Ngwlad Thai a, phob rhyw hyn a hyn, pawb yn aros i wenu'n ddel ar y Ffrancwr yn ymroi i gytgan o La Boheme. O, mae bywyd o mor braf.

Awyren fechan oedd ein cerbyd a'r mecanic oedd yn dosbarthu'r pryd o fwyd parod wrth i ni ddringo ysgol sigledig o'r cae o lwch i'n seddi cyfyng. Dwy sgedan, paced o gnau a blwch o sudd afal. Plygiau yn fy nghlustiau, diffodd sŵn fy nghyd-deithwyr, darllen fy llyfr a mwynhau'r daith.

Mae'r byd yn gwneud cymaint mwy o synnwyr os 'dach chi'n aderyn. Mae popeth i'w weld mor glir – llwybrau, rhwystrau, man cychwyn, pen terfyn – mae'r aderyn yn gweld y cwbwl.

O ryddid rhyfeddol yr awyren fechan ro'n i'n gweld patrwm y cytiau a'r ysgolion achlysurol ro'n i wedi dod ar eu traws nhw ar lawr gwlad. Roedd y tir, oedd yn ymddangos fel tir garw dan draed, mewn gwirionedd yn hafan daclus nythaid o gytiau pren ac yn dipyn llai garw na'r môr o ddrain a mieri oedd o'u cwmpas. Roedd pwrpas i daith y gwythiennau oedd yn rhedeg rhyngddyn nhw, yn hytrach na'u bod yn crwydro'n ddiamcan yma ac acw. Glesni'r tyfiant o gwmpas yr arfordir fel ôl tamprwydd ar bapur wal yn nodi lle roedd y penllanw. Ac wrth ddringo a dringo o'r arfordir i Nairobi, roedd map y wlad yn fyw. Nentydd bychan mewn gwlâu mawr yn disgwyl twf y gwanwyn. Dringo o ddyffryn sych i ddyffryn oedd wedi cael glaw. Llif y creigiau fel croen eliffant neu chwyrligwgan o datŵ cyntefig. A'r llwybrau bychan yn llifo i lwybrau mwy i ffyrdd a thraffyrdd a throbwll Nairobi. Mae'n rhaid i mi ddysgu hedfan, a nofio – a marchogaeth mul.

Diolchiadau

Mae'r diolch arferol i bawb sydd wedi fy nghynorthwyo i orffen y gyfrol. Diolch i bawb yn Y Lolfa am fod mor barod i ymgymryd â'r gwaith, i Caryl am y cwmni dros goffi pan oedd pen y daith i weld yn bell iawn i ffwrdd ac i staff Tŷ Newydd, Llanystumdwy, am fod ac am barhau i fod. Diolch yn arbennig iawn i Rebecca a Leah i Jane ac i Hedd yn Nairobi – roedd cael taenu Halen Môn ar fy mwyd ym mhrifddinas Kenya yn cyfleu'r arhosiad i'r dim. Roedd rhan fawr o fy hiraeth am Kenya yn hiraeth am eu teulu bach nhw, er mai dim ond am ychydig ddyddiau yn unig y bûm i yno. Diolch o galon.

Dyw'r diolch i'r uchod ddim mymryn yn llai am fod y rhestr sy'n dilyn mor faith. Mae fy niolch i'r canlynol yn ddiolch ar ran Mind mewn gwirionedd, ac yn ddiolch diffuant i bob un fuodd cystal â fy noddi i wneud y daith gerdded. Dwi'n gwybod ym mêr fy esgyrn wrth roi clec i'r botwm *save* a *send* fy mod i wedi gadael rhywun oddi ar y rhestr – plîs maddeuwch i mi – ond fel dach chi'n gweld mae'n rhestr mor hir ac roedd y cyfraniadau'n llifo i mewn ambell ddiwrnod. Diolch i chi i gyd yn unigolion, yn gymdeithasau ac yn gwmnïau. Nid teyrnged i mi ond teyrnged i chi ac i'r gymdeithas dan ni i gyd yn ei mwynhau oedd i ni gyfrannu £8,000 i goffrau'r elusen – y cyfraniad unigol mwyaf o'r cyfan. Diolch eto, mae'ch haelioni chi wedi gwneud gwahaniaeth i fywydau nifer fawr iawn o bobl.

Huw Meirion a Meinir Edwards, Andrew Green, Mark Mainwaring, Marged Haycock, Emyr ac Elinor Humphreys, Lena a Harri Pritchard Jones, Lyndon Jones a Helen Greenwood, Meredydd Evans a Phyllis Kinney, Bethan Mair, Gareth a Myris Jones, Y Parchedigion Huw a Nan Powell-Davies, Morys Gruffydd a Meleri MacDonald, George Wilson, Lois Howard, Cen ac Enfys Llwyd, Hywel Gwynfryn, Brinley Jones, Rhidian Griffiths, Gwyn Jenkins, Ariel ac Eryl Thomas, Jenny Childs, Lowri Davies, Dylan Phillips, Goronwy a Beti Evans, Cynog a Llinos Dafis, Sioned Davies, Y Lolfa, Ann a Tom Griffiths, Nerys Ann Jones, Dafydd a Rhiannon Ifans, Hefin Llwyd, Meinir a Pete Ebsworth, Gareth Lewis a'i Gwmni Penseiri, Ioan Wyn Evans, Owen Martell, Nesta Lloyd, Ceris Gruffudd, Pat Donovan, Llinos Evans, Annemarie Thomas, John Graham Jones, Gwerfyl Pierce Jones, Non Jenkins, Lona Mason, Glyn Parry, Bleddyn Huws, Heini Davies, Hawys Davies, Gwilym Tawy, Huw Ceiriog Jones, Manon Wyn Roberts, Gareth Bevan, James Nicholas, Geraint Gruffudd, Menna Beaufort Jones, Evan a Meryl Davies, Enid Jones, D. G. Jones, Bethan Jones, Cymdeithas Staff LLGC, Eironedd Baskerville, Vernon Jones, Twm Prys Jones, Eurig Davies, Magi Lewis, Staff Cwmni Cyfieithu Cymen, Menna Phillips, Cathryn Gwynn Jones, Anne Till, Jane Aaron, Sian Wyn Siencyn, Mici Plwm, Alun Jones, Bethan Ifans, John Watts-Williams, Charles Parry, Ann Ffrancon, Ellen ap Gwynn, Iestyn Hughes, Esther Prytherch, Beryl Jenkins, Gwen Job, Gruffudd Aled Williams, Non Tudur, Huw Walters, Hywel Lloyd, Pedr ap Llwyd, Sian Bowen, Eryl Jones, Manon Wyn, Emrys Jones, Dafydd Morgan Lewis, Dilys Jones, Dylan Thomas, Enid Gruffudd, Alwyn a Delyth Jones, Nerys George, Dilys Lewis, Rhys Tudur, Eluned Morris, Peter Godfrey, Alun Creunant Davies, trwy law Cangen Plaid Cymru Rhos-y-bol, Terry Adams, Geraint a Iola Jones, Daloni Metcalfe, Nancy Lovatt, Bryn Jones a Gwenan Thomas, Wyn a Christine Jones, O. R. a Jean Jones, Eryn Mant White, Elin Jones, Glyn Green, Sian Bowyer, Wendy Morgan, Emrys ac Eluned Hughes, Rosalind Baker, Ann a Richard Jenkins, S. H. Davies Wright, Dulcie James, Anwen James, Cylch Cinio Dynion Aberystwyth (I), D. Alwyn Owen, Paul Joyner, Harry a Medi James, Ann ac Andrew Hawke, Ian Hughes, Angharad Fychan a Dafydd Downes, Clwb Gweddi a Choffi Capel y Morfa, Robert a Barbara Davies, Twm a Sioned Wyn Morys, Lisa Tiplady, Clwb Cinio Dynion Aberystwyth (II), Gwynfryn ac Eryl Evans, Alun a Mary Jones Morris, Owain Rhys, Richard Owen, Mari

Stevens, Lois Eckley, Iwan ap Dafydd, Dafydd Pritchard, Elin Royles, Gwenan Creunant ac Iwan Bryn, Kate Crockett, Eirlys Roberts, Rose Edwards, Dewi Evans, Magi Mary Thomas, Pegi Jones, Elaine Turnpenny, Cwmni Cysylltiadau Cyhoeddus Strata Matrix, Wynn a Linda Melville Jones, Cylch Cinio Merched Aberystwyth, Elin Howell, Rhian Haf Jones, Elen R. Evans, Dylan a Rhian Morgan, trwy law cantorion carolau Capel Noddfa Bow Street, Anwen Pierce, trwy law Cymdeithas ddiwylliannol Siloam Cwm Ystwyth, Aled Lewis Evans, Robert Lacey, Freda Pierce, Marian Delyth, Tegwen Jones, Pryderi ac Eirwen Jones, Marleen a Walford Geeley, W. G. a M. Roberts, trwy law disgybolion Ysgol Tal-y-bont, Ceredigion, trwy law Hefin a Llinos Jones - (Rhian Jones a Gareth, Lowri, Nannon ac Iwan, Teulu Ystrad Fawr, Dafydd Iwan, Meic Stevens, Aneurin Jones, Gerallt Lloyd Owen, Mary Lloyd Jones, Mererid Hopwood, Angharad Tomos, Lyn Ebenezer, Meredydd Evans, Dewi Pws, Ray Gravell), John a Beti Roberts, Cymdeithas Capel y Morfa, Myra Jones, Branwen Niclas, trwy law aelodau Merched y Wawr Tal-y-bont, Ceredigion, Rhys Huws, Côr ABC a Banc Barclays, trwy law disgyblion Ysgol Gyfun Penweddig, Delyth Morris, Sion Williams, Rhian Dafydd, Gwenllian Ashley, David Greaney, Olwen Jones, Ceinwen Evans, Ifan Prys, Owen Llywelyn, Heledd Fychan, Eryl Rowlands, T. James Jones, Glyn Roberts, Arwyn Owen, Angelo Gauci, Emyr Morgan, Edward Sandford, Helena Shuilleabhain, Dai Evans, Clare Thomas, Olwen Davies, Annwen Isaac, Caren Morgans, Kathy Hughes, Delyth Morgans, Robert Nichols, Gwen Elis a Wyn Bowen Harris, Emyr ac Evelyn, Hilary Peters, Sian Wyn, Lona Jones, Mam Lona Mason, Trevor, Steve a Nerys Jones, Gwenno Piette, Rhys a Shan Bebb Jones, Janet Meredith, Avril Jones, Gwilym ac Eleri Huws, Jim O'Rourke, Arwel George a Leilia Piette, Mervyn a Jean, Iestyn Pritchard, Al Cubbin, Bethan Bryn, Ieuan Jones, Will Griffiths, Bryn Roberts, Megan Nantlais Williams, Dave Jeremiah, Elin Haf, M. G. Thomas, Hazel Walford Davies, John Taylor, Carri Harries, Gareth Taylor, Jenny Taylor, Kath Taylor, Sian Taylor, Huw Taylor, Eddie a Nancy Owen, Glyn a Grace Jones, Rhys Jones, Betty Owen, Nell Jones, Gwyneth Jones, Huw Owen, E. M. Davies, Llanfaethlu, E. Franwell, Llanfaethlu, B. Jones, Llanfaethlu, Y. Blackwell, Robin Jones, Rhian Owen, Grenville Owen, Ella Morgan, Emlyn Parry, Robert Jones, M. Thomas, John Jones, Helen Evans, David a Win Owen, His & Hers, Maureen Matthews, Miriam Price, Russell Price,